Scrittori italiani

Andrea Camilleri

Noli me tangere

ROMANZO

MONDADORI

Dello stesso autore in edizione Mondadori

Gli arancini di Montalbano
Il colore del sole
Il diavolo, certamente
Gocce di Sicilia
Le inchieste del commissario Collura
L'intermittenza
Il medaglione
Un mese con Montalbano
La paura di Montalbano
La pensione Eva
La prima indagine di Montalbano
Racconti di Montalbano
Racconti quotidiani
Romanzi storici e civili
Un sabato, con gli amici
La scomparsa di Patò
Storie di Montalbano
Il tailleur grigio
Troppu trafficu ppi nenti
Il tuttomio
Voi non sapete
La relazione

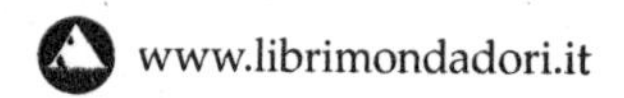
www.librimondadori.it

Noli me tangere
di Andrea Camilleri
Collezione Scrittori italiani e stranieri

ISBN 978-88-04-66187-0

I edizione gennaio 2016

Noli me tangere

5 giugno 2010

«Mattia?»

«Come va, cara?»

«Ora meglio, la casa si è riscaldata e ho potuto lavorare. Da quando non ci venivamo?»

«Fammi pensare... Da gennaio.»

«Ho dovuto anche pulire un po'. C'era polvere dappertutto.»

«Hai cenato?»

«Sì.»

«Come ti senti?»

«Meglio.»

«Passato il ghibli?»

«Quasi del tutto. Ora vado a farmi un bel sonno.»

«Mi chiami domattina?»

«Alle nove va bene?»

«Va benissimo.»

«Buonanotte, Mattia.»

«Buonanotte, cara.»

7 giugno 2010

«No, no, assolutamente normale...»

«Ci pensi bene. Ogni minimo dettaglio, che a lei potrà apparire trascurabile, a noi può tornare utile.»

«Ma si figuri se non ci ho pensato e ripensato! Di giorno e di notte, non sono più riuscito a dormire. Io, glielo ripeto, non ho notato nulla di anormale... E non sono mai stato un marito disattento, mi creda. Anche se negli ultimi due o tre giorni le era venuto un ghibli più forte del solito...»

«Non ho capito, scusi. Ha detto proprio ghibli? Ma il ghibli non è il vento del deserto?»

«Mi scusi lei, sì, è il vento del deserto, ho adoperato una parola del nostro gergo famigliare. Diceva che aveva il ghibli, va' a sapere perché lo chiamasse così, quando non aveva voglia di fare niente e se ne restava per ore a letto a guardare il soffitto. Silenziosa e di cattivo umore, guai a disturbarla. Interrompeva completamente i rapporti col mondo esterno, me compreso. Staccava la spina, come si usa dire. Le capitava almeno una volta ogni due mesi, poi dopo qualche giorno le passava e tornava a essere...»

«Da cosa erano causati questi sbalzi d'umore?»

«Da niente di preciso.»
«Insomma, un fatto caratteriale.»
«Non proprio. Non è stata sempre così.»
«Allora quando ha cominciato?»
«Questa storia del ghibli penso fosse un suo modo per ottenere un'estrema concentrazione, stava a letto e ascoltava...»
«Che cosa ascoltava? Musica?»
«No, no, ascoltava se stessa, i suoi pensieri, il suo corpo. Infatti il ghibli le è cominciato un anno e mezzo fa, quando ha deciso di fare il grande passo e scrivere il suo primo romanzo...»
«Anche lei?»
«Si meraviglia? Che ci trova di strano? Saremmo stati una normalissima coppia di scrittori... ce ne sono state tante... Moravia e la Morante, per esempio...»
«Come vi siete conosciuti?»
«Sa, ricevo decine di romanzi inediti da autori sconosciuti che vorrebbero da me due righe di presentazione a un editore... in genere, roba illeggibile. Laura mi mandò delle poesie niente male, proprio niente male, per avere un mio giudizio... Le mandai il mio parere positivo, lei ne fu felice e mi chiese un incontro. Me ne innamorai appena la vidi entrare nel mio studio. Un vero colpo di fulmine. Come successe al povero Carducci con Annie Vivanti... Anche adesso Laura è bellissima come allora.»
«Da quanto siete sposati?»
«Da quattro anni. Quattro anni e tre mesi, per l'esattezza.»
«Figli?»
«Non ne voglio.»
«La signora è del suo stesso parere?»

«Credo di sì.»
«Che significa credo?»
«Credo significa credo. Se non le piace il verbo, lo cambio subito. Le va meglio "penso di sì"?»
«Non si alteri, non intendevo...»
«Non mi sono alterato. Diceva?»
«Non ne avete parlato tra di voi?»
«Di cosa?»
«Di avere o non avere figli.»
«No.»
«Mi sembra strano.»
«Anche in questo caso non c'è niente di strano. Vede, prima che ci sposassimo dissi a Laura che non avrei voluto figli e lei non... non ebbe nessuna reazione, ecco. E da allora non ha più tirato fuori questo discorso.»
«Mi levi una curiosità. Perché lei è così deciso a non...»
«Troppa differenza d'età. Cerchi di capire. Quando ci siamo sposati Laura aveva trentun anni e io sessantacinque. Avrei potuto essere suo... se avessimo avuto dei figli, sarei stato un padre-nonno. Trovavo, e continuo a trovare, la cosa assolutamente ridicola.»
«Chi è stato, tra voi due, a volere il matrimonio?»
«Io.»
«La signora ha accettato subito?»
«Sì.»
«Quindi vi siete immediatamente...»
«Non immediatamente.»
«Perché?»
«Laura mi ha chiesto solo di ritardare un po' l'annunzio ufficiale agli amici.»

«A che scopo?»
«Non voleva portarsi dietro niente.»
«Si può spiegare meglio?»
«Non mi è facile.»
«Mi scusi, ma...»
«Per me è molto imbarazzante.»
«Devo insistere.»
«Be', Laura, bella com'è, è naturale che avesse avuto delle storie con diversi uomini... storie non del tutto concluse al momento della nostra decisione di sposarci... non so se mi sono spiegato. Intendeva perciò chiudere i conti, tagliare definitivamente.»
«Capisco. Ha voluto fare piazza pulita.»
«Sì, questa era la sua intenzione.»
«Mi faccia capire meglio.»
«Meglio di così...»
«Mi sta dicendo che qualche storia è continuata anche dopo il vostro matrimonio?»
«Diciamo meglio che ci sono stati degli strascichi che però, grazie all'abilità di Laura, non hanno per nulla turbato l'andamento del nostro ménage.»
«La signora per caso le ha mai fatto i nomi di questi... di questi strascichi?»
«Mai. Né io glieli ho chiesti. C'era un tacito patto. Sapevo che, anche se continuava ad avere qualche incontro con questi uomini, il suo intento era liquidatorio. Come infatti è stato.»
«Ne è sicuro?»
«Laura me ne ha convinto. Coi fatti, non con le parole. E non voglio entrare in dettagli.»

«Non glieli sto chiedendo.»
«Mi scusi.»
«Che ne dice se ricapitoliamo?»
«Come desidera. Dal principio?»
«Sì.»
«Dunque. L'altrieri, dopo aver pranzato da solo perché Laura era rimasta a letto, sono entrato nella sua camera per vedere come stava e l'ho trovata alzata e vestita di tutto punto.»
«Dormite in camere separate?»
«Non abitualmente, solo nei giorni del ghibli. Come le dicevo, l'ho trovata vestita che stava finendo di fare la valigia. Mi ha comunicato che aveva deciso di andarsene a stare per qualche giorno nella nostra casa di campagna.»
«L'aveva fatto altre volte?»
«Sì.»
«Dove si trova la casa?»
«A Gonfalone, due ore di macchina da qui. L'ho accompagnata giù fino alla sua auto, ci siamo abbracciati, baciati ed è partita.»
«Come le è sembrata?»
«Direi rasserenata.»
«Eravate solo voi due in casa?»
«No, c'era anche la sua vecchia domestica, Filippa.»
«Vada avanti.»
«Alle cinque mi ha chiamato. Mi ha detto che aveva trovato la casa in ordine, ma un po' umida, tanto che aveva acceso il riscaldamento e il camino.»
«Si è rifatta viva dopo?»
«Sì, alle nove. Mi ha raccontato che aveva lavorato inten-

samente al romanzo, che il ghibli le era passato e che stava andando a letto stanca ma contenta. Che altro? Aveva cenato, teniamo il freezer sempre pieno, le era venuto tanto appetito. Voleva alzarsi presto e riprendere a scrivere. Ci siamo dati la buonanotte e siamo rimasti d'accordo di risentirci la mattina dopo. Senonché a mezzanotte e mezzo – ho guardato istintivamente l'orologio – sono stato svegliato da una telefonata. Era un mio amico francese, voleva comunicarmi che aveva saputo da fonte certa che ho vinto il premio per il miglior romanzo tradotto in Francia. Una bellissima notizia. Così ho chiamato Laura al cellulare, lei, quando va a dormire, lo tiene sempre sul comodino. Era spento. Allora l'ho chiamata sul fisso. Ha squillato a lungo, ma nessuno ha risposto. Ho provato e riprovato. Niente. Mi sono impensierito. Perché non rispondeva? Stava male? Oppure... sa, sono cominciati i cattivi pensieri, la casa è isolata e di questi tempi... Mi sono rivestito, ho preso l'auto e sono corso a Gonfalone. La prima cosa che ho sentito, entrando, è stata l'umidità. I termosifoni erano gelidi, il camino non era stato acceso. Mi è stato subito chiaro che Laura, in quella casa, non solo non c'era, ma non ci era nemmeno andata...»

8 giugno 2010

IL MESSAGGERO

MISTERIOSA SCOMPARSA DELLA MOGLIE DI UN NOTO SCRITTORE

Roma.- È scomparsa in modo misterioso Laura Garaudo, moglie del notissimo romanziere Mattia Todini. Il marito ha dichiarato alla Polizia che la donna era partita con la sua auto per trascorrere da sola qualche giorno di riposo nella loro casa di campagna a Gonfalone (VT), ma non è mai arrivata a destinazione. Al momento s'ignora se si sia trattato di un allontanamento volontario, comunque la Polizia esclude il sequestro di persona a scopo di riscatto.
Ci corre l'obbligo però di riferire una voce che circola negli ambienti letterari della Capitale e cioè che la sparizione di Laura Garaudo altro non sia che un ingegnoso espediente pubblicitario per il lancio del romanzo d'esordio della stessa Garaudo. Comunque la Polizia indaga in tutte le direzioni.

9 giugno 2010

«Ciao, Michele.»

«Ciao, Carlo.»

«Prendiamo un caffè?»

«Volentieri. Però sediamoci qua fuori. È una così bella giornata... Come sta tua moglie?»

«Bene, grazie.»

«È un bel po' che non ci si vede.»

«Già.»

«E allora perché hai sentito all'improvviso il bisogno di vedermi? Non puoi certo dirmi che sentivi la mia mancanza!»

«Hai saputo di Laura?»

«Bisogna essere sordi e ciechi per non sapere. Con tutto quel casino che sta combinando quel coglione di Mattia...»

«Avrebbe dovuto far finta di nulla?»

«Non dico questo, ma avrebbe potuto aspettare qualche giorno prima di scatenare la Polizia, i giornali...»

«Effettivamente ha un po' ecceduto.»

«Chiamalo un po'!»

«Ma tu non sei preoccupato, Michele?»

«Io? Ma figurati! Cameriere, due caffè.»
«Se fossi in te, mi preoccuperei.»
«Ma non lo sei. Mi spieghi perché ti interessi di Laura? Vuoi scrivere qualcosa su di lei nel tuo giornale?»
«Solo nel caso riuscissi a raccogliere notizie sufficienti da chi l'ha conosciuta...»
«Ma tu non hai avuto una storia con lei?»
«Chi te l'ha detto?»
«Laura.»
«Te l'ha detto Laura?!»
«Senti Carlo, è da sei anni che Laura e io scopiamo, abbiamo continuato anche dopo il suo matrimonio, e sai perché duriamo così a lungo? Perché, fin dalla prima volta, ci siamo detti tutto di noi. Non ci siamo nascosti niente.»
«E di me che...»
«Vuoi sapere che cosa mi ha detto di te?»
«Be', sì.»
«Eravamo a letto e a un tratto mi fa: "Ieri sera mi sono portata a casa Carlo e abbiamo scopato. Sinceramente, non so perché l'ho fatto. Non credo che lo rifarò più". Precise testuali parole.»
«E così è successo. Dopo quella volta, non c'è stato più verso... irremovibile. Una roccia. Quindi, come vedi, non posso dire di conoscerla quanto te.»
«Che cosa vuoi sapere? Le cose più interessanti che potrei dirti non credo che potresti pubblicarle.»
«Qualcosa del suo carattere, ad esempio...»
«È una dilapidatrice.»
«Ti riferisci al denaro?»
«Al denaro non dà nessunissima importanza. Se non ne

ha, non se ne preoccupa, se ne ha lo spende. In parte per sé, naturalmente, ma la gran parte lo dona o finge di prestarlo, sapendo che non le sarà mai restituito, a chi ne ha più bisogno... L'ho vista prestare denaro a persone che aveva conosciuto mezzora prima... e che sicuramente non avrebbe rivisto mai più. Però questa è generosità, straordinaria quanto si vuole, ma pur sempre generosità. O forse generosità non è nemmeno la parola giusta. Non le ho mai chiesto se sia credente o no, penso non lo sia, ma lei applica alla lettera il precetto "ama il prossimo tuo come te stesso". Credo si tratti proprio di questo, amore per il prossimo, anche se non se ne rende assolutamente conto. No, quando dico dilapidazione mi riferisco a quello che lei fa di sé.»

«Potresti...»

«Sì, mi spiego meglio. Laura è facile alle infatuazioni.»

«Ti riferisci agli uomini?»

«Si infatua di uomini, di bambini, di imprese utopiche... allora spende tutta se stessa, si dona completamente, ciecamente, e spessissimo, quando s'accorge di essersi regalata invano, ne esce come dissugata e disgustata. Riceve ferite profonde che riesce in qualche modo a nascondere, a dissimulare... Se le fanno più male del solito, allora si corica e se ne resta intere giornate a letto senza voler vedere nessuno. Completamente isolata. Sta lì a leccarsi le ferite. Ma da queste ferite non impara nulla, anzi non sono nemmeno cicatrizzate che è gia pronta a ricominciare, a buttarsi a capofitto.»

«Sei sicuro che mi stai parlando di Laura, Michele?»

«E di chi, se no?»

«Non mi pare che...»
«Questa è la Laura che io conosco e alla quale voglio bene.»
«Non mi persuadi.»
«Perché, secondo te com'è?»
«Mi sbaglierò, ma a me, e non solo a me, è parsa sempre una donna superficiale, volubile, incapace di grandi sentimenti, dal sesso un po' troppo facile, per niente istruita...»
«Lo sai che è laureata?»
«Ma che mi dici?»
«Si è laureata a Bologna in Storia dell'arte con una tesi sul Beato Angelico. Centodieci e lode.»
«Non mi stai raccontando una balla?»
«Dopo molte insistenze, me l'ha fatta leggere. Veramente notevole. Molto acuta. Il suo professore ne era entusiasta, la voleva come assistente, ma lei ha rifiutato.»
«Perché?»
«Perché all'epoca era innamorata alla follia di un cadetto dell'Accademia Navale di Livorno e si è trasferita lì per stargli vicina. Ma ho anche letto qualcos'altro di suo. Poesie, raccontini.»
«Come sono?»
«Daresti il culo per scrivere come lei. Sono stato io a consigliarle di mandare le poesie a Mattia. Ma ero ben lontano da immaginarne le conseguenze.»
«Puoi dirmi altro?»
«Quello che ti ho detto non ti basta?»
«Sì, ma è talmente inaspettato che...»
«... che non è pubblicabile. Ribalterebbe l'opinione che tutti avete e volete continuare ad avere di lei.»

«Sarebbe?»

«Quella di un'arrivista che ha sposato un illustre scrittore per farsi facilmente pubblicare il romanzetto che sta scrivendo e avere l'appoggio degli amici critici. Non è così? Rispondi!»

«Be'...»

«Siete perfino arrivati a supporre che la sua sparizione sia una trovata pubblicitaria!»

«Ammetterai che...»

«Io non ammetto nulla. Su Laura state tutti sbagliando completamente. Lo sai qual è la verità sul suo matrimonio con Mattia?»

«Dimmela.»

«Ha trovato uno che è l'opposto di suo padre, un uomo troppo preso dai suoi affari, che la trascurava e non ha mai creduto nel suo talento artistico. Ridi?»

«Ma se tu stesso, poco fa, hai definito Todini un coglione! Todini è stato un coglione a sposarsela, altro che sostituto del padre!»

«Ciao.»

«Che fai, te ne vai? Dài, Michele, vieni qua, non fare il cretino...»

6 giugno 2010

«Buongiorno, Mattia. Dormito bene?»

«Sì.»

«Io sono proprio caduta in catalessi. La casa è ormai ben riscaldata.»

«A che ora ti sei alzata?»

«Presto, molto presto. Quando ho aperto la finestra, sapessi che meraviglia! Che aria fresca e pulita! Che bel silenzio! Mi sono sentita rinascere.»

«Hai lavorato?»

«Sì, tanto e con una sorta di felicità che non provavo da tempo. Ti voglio dire una cosa.»

«Dimmela. È una cosa sgradevole?»

«No, anzi. Ieri sera, prima di addormentarmi, ho pensato a te, a noi due. E a un tratto, come un lampo, ho capito tutto l'amore che ho per te. Mattia? Pronto?»

«Sono qua.»

«Credevo che...»

«Laura, perché te ne sei andata? Pronto? Pronto? Laura...»

7 giugno 2010

«... Allora che ha fatto?»

«Istintivamente, appena ho capito che in quella casa non aveva proprio messo piede, l'ho richiamata al cellulare. Per scrupolo, o forse perché ancora non mi capacitavo di quello che stava succedendo, sono andato nel garage per vedere se c'era la sua macchina. Naturalmente non c'era. È stato un gesto assurdo, ma non riuscivo a credere che Laura... Sono rientrato, ho acceso il riscaldamento, sono andato in camera da letto, sulle reti c'erano solo i materassi, avevo una gran confusione in testa, mi sentivo le gambe deboli e così mi sono coricato vestito com'ero, con solo una coperta addosso. Non sono riuscito a chiudere occhio.»

«Visto che il cellulare era spento, non ha pensato di mandare un messaggio alla signora?»

«Ci ho pensato a lungo, è stata una delle prime cose che m'è venuto di fare, poi mi sono convinto ch'era meglio che lei non sapesse che io sapevo.»

«Quindi mi pare di capire che si stava orientando verso l'allontanamento volontario.»

«Sì e no. Era una delle ipotesi possibili.»

«Ne aveva altre?»

«In realtà ero molto curioso di sapere se mi avrebbe telefonato, come mi aveva promesso, e soprattutto cosa mi avrebbe detto. Sentirla... sentirla... mentire così spudoratamente... Quella era una Laura che non conoscevo.»

«Ha chiamato?»

«Poco dopo le nove del mattino.»

«Che le ha detto?»

«Ha continuato la commedia: che aveva dormito come un sasso, che si era alzata presto, che si era goduta l'aria fresca del mattino, che aveva ripreso a scrivere...»

«E lei l'ha lasciata parlare?»

«Sì.»

«Perché?»

«La sua voce era... eccitata, ecco.»

«Si spieghi, per favore.»

«Aveva la voce della novità. Quella che le veniva davanti a una nuova conoscenza che l'interessava o quando si faceva coinvolgere in situazioni particolari...»

«Sta parlando di conoscenze e di situazioni chiamiamole di tipo sentimentale?»

«Anche, ma non solo.»

«Vedo che lei sa controllarsi bene. E poi?»

«L'ho interrotta solamente quando mi ha detto una frase... intima, la prima cosa vera.»

«Può riferirmela?»

«Dio mio...»

«Si faccia forza.»

«Ieri sera c'è stato un momento in cui, in un lampo, ho capito tutto l'amore che ho per te.»

«Le ha detto così?»
«Esattamente.»
«E poi?»
«E poi che?»
«Che ha fatto?»
«Che voleva che facessi? Credo, dico credo perché non ero molto lucido, di avere chiuso la porta di casa e di essermi messo in macchina per tornare. Ero molto frastornato, confuso.»
«Senta, signor Todini, le voglio parlare con franchezza. Lei si rendeva conto che quando sua moglie pronunziava quelle parole probabilmente aveva accanto o a poca distanza un uomo col quale aveva trascorso la notte?»
«Certo che sì. Dolorosamente ne avevo coscienza. È stato infatti allora che l'ho interrotta.»
«Che le ha detto?»
«Laura, perché te ne sei andata? O qualcosa di simile.»
«E la signora?»
«Dopo un attimo di silenzio ha chiuso la comunicazione e non sono più riuscito a rimettermi in contatto con lei.»
«Signor Todini, mi perdoni di nuovo la schiettezza. È assai probabile, anzi certo, che si tratti di un allontanamento volontario. La signora è maggiorenne e noi, anche se la rintracciassimo, non potremmo agire in nessun modo, neanche se lei la denunciasse per abbandono del tetto coniugale. In parole povere, non potremmo riportargliela a casa. Quello che possiamo fare, in via del tutto eccezionale, è cercare di localizzare sua moglie tenendo lei costantemente al corrente dei passi che facciamo. Ci muoveremo naturalmente con molta discrezione. La signora ha portato con sé i suoi documenti?»

«Sì. Anche il passaporto.»

«Denaro?»

«Non credo avesse con sé più di trecento euro. Ma ha il Bancomat.»

«Avete il conto in comune?»

«No, ognuno ha il suo.»

«Lei ora mi usi la cortesia di darmi una foto della signora, il modello e il numero di targa della sua macchina e, se possibile, il numero del passaporto e il nome di qualcuno che... le è molto amico.»

«Non ho foto con me e non vorrei fare confusione con i numeri. Posso portarle tutto più tardi?»

«Quando vuole.»

«La ringrazio per la sua infinita cortesia.»

23 marzo 2005

«Pronto? Laura? Sono Marco. No, non riattaccare. Ti prego, ascoltami. Guarda, ti giuro, e lo sai che se dico una cosa la mantengo, che dopo questa telefonata non mi sentirai più. Scomparirò dalla tua vita per sempre. Va bene? Ma ti prego di lasciarmi parlare senza interrompermi. D'accordo? Dunque mi hai scritto che ti sposi col vecchio, hai usato proprio questa parola, "vecchio", e non vuoi più vedermi. Se credevi di farmi una sorpresa, ti sei sbagliata di grosso. Mi consideri proprio un coglione? Il benservito me l'aspettavo da tempo. Ma ti devo sinceramente dire che questa storia della fedeltà matrimoniale non è alla tua altezza, mi sembra un pretesto abbastanza stupido. Ma come?! Da, diciamo così, fidanzata hai continuato a scopare con me come se niente fosse e ora che ti devi sposare ti vengono gli scrupoli morali? Non credo che tu sappia nemmeno il significato della parola "scrupolo" e dell'aggettivo "morale". Ti voglio raccontare una cosa che non ti ho mai detto. Un pomeriggio eravamo a casa tua e tu, rivestendoti, hai indossato solo il vestito restando nuda sotto. Forse hai visto qualcosa nel mio sguardo perché ti sei sentita in dovere di dirmi che tanto non saresti più uscita. Non so perché, mi è venuto un sospetto. Ti ho salutata, sono sceso, sono montato in macchina e dopo un po' sono tornato indietro. Di fronte a casa tua c'era un caffeuccio. Mi sono seduto e dopo una mezzoretta davanti al tuo portone ho visto Michele Doria. Ha citofonato, tu ti sei affacciata, gli hai sorriso e gli hai aperto. Forse non ti eri nemmeno fatta la doccia. Io me ne sono andato. Ecco un bell'esempio dei tuoi scrupoli morali. La verità, cara mia, è che tu da tempo ti sei stancata di me, vuoi cambiare aria. L'ultima volta, due mesi fa, è stata per me la prova del nove. Se te ne ricordi, ce ne siamo stati due ore nudi sul letto senza combinare nulla perché avevi il ghibli. Me l'avevi raccontato tu che uno dei tuoi primi uomini, un ingegnere dell'Agip che era stato in Libia, chiamava così le tue giornate di inedia. Che in genere preludevano a una rottura. Che prima o poi, puntualmente, avveniva. Dopo la tua lettera, ho riflettuto a lungo su noi due e su di te. A me, tu, non mi hai mai amato. Del resto sei stata così onesta da non avermelo mai detto.

La tua dichiarazione più affettuosa, più calda, è stata che ti sentivi bene con me. Ma sai quando me lo dicevi? Non mentre mangiavamo o mentre discorrevamo o mentre ce ne stavamo a passeggiare o che so io, no, me lo dicevi a letto, dopo. Quand'eri sazia e soddisfatta. Non è che stavi bene con me, avresti detto meglio che ti facevo sentire bene. Io ero come un tranquillante. Ti davo la dose giusta. Ma certe volte non ti bastava, ne avevi bisogno di un'altra e diversa. Come hai fatto quel giorno che hai voluto la dose doppia Marco-Michele. E chissà quante altre volte l'hai fatto. Sai una cosa? Quando facevamo l'amore non pronunziavi mai il mio nome, mai. Ero un corpo concreto, questo sì, ma senza nome. Forse non hai mai chiamato per nome nessuno dei tuoi amanti mentre ti facevi scopare. Le mie labbra, invece, in quei momenti non facevano che ripetere il tuo nome.

Ha visto bene il tuo amico ingegnere. Lo sai perché su di te soffia il ghibli? Perché tu sei il deserto. Il vento fa scomparire le orme appena stampate sul tuo corpo. Non credere che queste mie parole siano dettate da rancore, gelosia o altro. Nascono solo dal bene che ti ho voluto. Ti auguro non che tu possa trovare la felicità, ma che nel tuo deserto possa accadere il miracolo di un'oasi.

Addio, Laura.»

7 giugno 2010

Gentile dottor Maurizi,

al rientro a casa non mi sono sentito bene, perciò le invio tramite la nostra fidata domestica quanto da lei richiestomi.

Oltre a una foto recente di Laura, le fornisco il numero del passaporto, che trascrivo da una fotocopia perché l'originale Laura l'ha portato con sé, e anche il numero di targa della sua Audi grigia metallizzata della quale accludo foto.

Il nome della colf è Filippa De Gregorio. Se vuole interrogarla, la può trovare al numero di casa mia dalle otto del mattino alle otto di sera.

Torno a ripeterle che non conosco, e non ho mai voluto conoscere, i nomi degli uomini coi quali Laura ha avuto delle storie, sentimentali o meno. E meno che mai di quelli che ha continuato a vedere dopo il nostro fidanzamento, i cosiddetti strascichi.

Suppongo che per un certo periodo, prima di conoscermi, abbia avuto una relazione con l'avvocato Michele Doria, che è un mio buon conoscente. Nel caso reputasse utile parlargli, le do telefono e indirizzo.

Laura ha un'amica intima, Giulia Maltese. In queste ore,

Giulia non si è fatta viva con me né io l'ho cercata. Evidentemente sappiamo tutti e due che un nostro eventuale incontro sarebbe inutile, Giulia non mi direbbe mai nulla sui motivi della fuga di Laura. Troppo profonda è l'amicizia o, se vuole, la complicità che le lega.

Con lei, però, non so se avrebbe lo stesso atteggiamento. Troverà quindi il suo indirizzo, non ho il numero telefonico.

Grato per tutto quanto sta facendo per me e sperando di ricevere presto sue notizie,

Mattia Todini

9 giugno 2010

da Mattia, 333913084, ore 23,30:
spero tu possa leggermi non riesco ad affrontare un'altra
notte senza tue notizie fatti viva come vuoi ma fatti viva
dimmi che sei felice con un altro ma dimmelo non ti chiederò
perché non ti chiederò di tornare non ti chiederò nulla
solo se stai bene per me questa è l'unica cosa che conta
io sono come un assetato nel deserto ti amo ti amo ti amo
come sempre ti prego rispondimi io * *manca testo* *

10 giugno 2010

«Io, prima, quanno che la signora era signorina, je facevo i servizi, no? Ci annavo un giorno sì e uno no. Doppo, quanno che se ne annò 'n casa del signor Mattia, me domannò se volevo annà con lei a servizio 'ntero, che sarebbe a dì dall'otto der matino all'otto di sera, no? E io je dissi de sì. Me pagava bono.»

«Solo perché la pagava bene? Non le stava simpatica?»

«Nun me stava né simpatica né antipatica. Ma era una che nun rompeva, che non arzava mai la voce, che se sbagliavi 'na cosa nun faceva 'na tragedia...»

«Va bene, ma da quanti anni è al servizio della signora?»

«Sette.»

«Lei si è domandata in questi giorni perché la signora abbia voluto andarsene da casa?»

«Fatti sua.»

«Certo che sono fatti suoi, ma io le stavo domandando se lei si è fatta un'opinione in proposito.»

«E che ne posso sapé io de tutto quello che la signora c'ha ne la capoccia?»

«Com'erano i rapporti col marito?»

«A modo loro, boni.»

«Litigavano ogni tanto?»

«Ma quanno mai! Lui era perso. Le annava appresso come un cane. E se lei quarche vorta lo trattava come si trattano i cani, no?, lui...»

«Come si trattano i cani?»

«Signore mio, er cane sa com'è, no? Te sta sempre lì attaccato a guardarti che ora vuole la carezzina, il biscottino... allora quanno te rompi je dai un carcetto, 'na spintarella, fai la voce grossa, je dici d'annà a cuccia... il signor Mattia obbediva e se n'annava a cuccia. Se la signora gli avesse detto de magnasse un bacherozzo, quello se lo magnava senza manco mettece er sale.»

«Senta, quando la signora era di cattivo umore e se ne restava giornate intere a letto, riceveva qualcuno in assenza del signore?»

«Sì, ogni tanto lei chiamava all'amica der core e quella arrivava de corsa. Chiudevano la porta e bonanotte.»

«Che intende dire?»

«Che stavano tre ore a parlà fitto fitto.»

«Il signor Todini mi ha fatto sapere che la migliore amica della signora è Giulia Maltese. È lei?»

«Sì.»

«Uomini?»

«Mai. Solo la signora Giulia.»

«Ora le rivolgo una domanda alla quale mi deve rispondere con assoluta sincerità.»

«Io so' sempre sincera. So' così de natura.»

«Quando la signora non era ancora fidanzata, riceveva a casa sua uomini che poi restavano anche la notte?»

«Be', sì. E che vole fà, mo'? La vole mannà 'n galera? Era libera, maggiorenne, no?, non aveva da dà conto a nisciuno... Se è pe' questo, je la canto tutta. Certe matine me telefonava pe' dimme de non annà perché era 'mpegnata e le vorte che nun potevo annacce de matina ma de dopopranzo dovevo prima chiamalla pe' sapé se avevo via libera o no... Nun so se me so' spiegata.»

«Si è spiegata benissimo. Ma io volevo semplicemente sapere se la signora, dopo essersi fidanzata e poi sposata, cambiò abitudini.»

«Non ho capito.»

«Continuò a frequentare altri uomini?»

«In casa, no.»

«E fuori?»

«Che ne so quello che faceva fuori.»

«Usciva spesso?»

«Almeno quattro volte a settimana.»

«A che ora usciva e quando tornava, di solito?»

«Dunque, se mettevano a tavola, no?, magnavano, doppo il signore se n'annava nello studio che ha nel palazzo allato, lei se truccava e usciva alle tre, massimo alle tre e mezza. Tornava quasi sempre alle sette e mezza, prima che il signore venisse a casa. Certe vorte 'nvece tardava.»

«Quanto?»

«Nun lo so perché all'otto me ne vado. Però...»

«Però?»

«S'è dato puro er caso che certe notti non è rientrata. Si vedeva dal letto che il signore aveva dormito solo.»

«E quando capitava, qual era l'umore del signor Todini?»

«Che fusse contento, nun se poteva proprio dì.»

«È successo altre volte che la signora se ne sia andata via?»
«Sì, quarche vorta quanno se n'annava in campagna, a Gonfalone.»
«E quanto ci restava?»
«Magari due o tre giorni...»
«Ricorda se sia accaduto qualcosa di strano, di inconsueto, nel periodo precedente all'andata via della signora?»
«Be', 'na cosa la fece.»
«Cioè?»
«Era da un po' di giorni che se ne stava a letto, no?, e un dopopranzo, che il signore era annato via, lei me chiama. Ce vado e la trovo pronta pe' sortì. Accompagname. E vabbè. Ha preso la macchina e semo annate a la su' casa.»
«Un attimo. Quale casa?»
«Quella dove stava prima.»
«Ma non era in affitto?»
«No, è sua. Gliel'aveva comprata su' padre.»
«E lei l'ha tenuta sempre sfitta?»
«Sì.»
«Strano.»
«Forse le serviva pe' annacce de tanto in tanto. 'Nfatti quanno so' entrata ho visto che nun c'era polvere, il letto era rifatto, tutto pulito, nun pareva disabitata...»
«Che ha fatto una volta arrivata?»
«S'è messa a cercà 'na specie de libro... nun l'ha trovato... ha buttato tutto all'aria facennose aiutà da me... Doppo le è venuto 'n mente che poteva trovasse nel soppalco, dentro a 'na cesta... m'ha spiegato com'era fatto... me so' dovuta arrampicà... tirà fora 'na quantità de zozzerie e finarmente l'ho trovato. Se l'è preso e semo tor-

nate a casa del signore. M'ha ordinato de non dì gnente a su' marito.»

«Si ricorda di che parlava quel libro?»

«Non era un libro, je dico, nun era stampato, era scritto a macchina, me disse che era quello che lei aveva fatto p'avé la laurea a Bologna... era 'na cosa su Sant'Angelo, me pare.»

«Castel Sant'Angelo?»

«No, er castello nun c'entra... era un santo... no, un beato, ecco. Il beato Angelo.»

«Il Beato Angelico?»

«Sì, sì, proprio lui.»

«Ha rivisto questo libro dopo che la signora è andata via?»

«Se l'è portato con lei, ne so' sicura.»

«Altro?»

«La mattina appresso sortì de novo, potevano esse le nove, e tornò doppo du' ore. Me disse ch'era stata in banca e puro stavorta m'ordinò de nun parlanne.»

«Per caso sa che banca era?»

«Sì, er Credito Cooperativo. Che sta a venti metri da casa del signore. Je posso dì 'na cosa?»

«Certo.»

«La signora, a modo suo, al signore je voleva bene. Ma tanto, sa?»

11 giugno 2010

«Pronto?»

«Sì?»

«Buongiorno. Sto parlando con la segreteria dell'Università di Bologna?»

«Sì. Chi è al telefono?»

«Sono il commissario Luca Maurizi della Questura di Roma.»

«Buongiorno. Dica.»

«Mi scuso per il disturbo che le do, ma avrei bisogno di un'informazione urgente.»

«Chieda pure.»

«Vorrei sapere il titolo di una tesi di laurea che risale probabilmente all'anno accademico 1997-98...»

«Probabilmente? Non lo sa con esattezza?»

«No.»

«Può dirmi il nome della laureanda?»

«Laura Garaudo. So che vi metto in difficoltà ma...»

«Nessuna difficoltà, commissario. Per fortuna abbiamo computerizzato l'archivio. Attenda però all'apparecchio perché devo chiedere alla collega che se ne occupa.»

«Faccia pure con comodo.»

«...»

«Pronto, commissario?»

«Sì?»

«Ecco i dati che le occorrono. Come vede, ci abbiamo messo poco, l'anno era quello giusto. Il titolo della tesi di Laura Garaudo era "Sui problemi di attribuzione degli affreschi del Beato Angelico nel convento di San Marco a Firenze". Ha avuto 110 e lode.»

«Chi era il relatore?»

«Il professor Soncini, Aldo Soncini.»

«Insegna ancora?»

«Sì.»

«Vorrebbe essere così gentile da darmi, sempre che sia possibile, il suo numero di telefono?»

«Se ha un minuto di pazienza...»

11 giugno 2010

«Il professor Aldo Soncini?»

«Sì. Sono io. Chi parla?»

«Il commissario Luca Maurizi.»

«Commissario di che?»

«Della Questura di Roma.»

«Oddio! Ancora quella storia!»

«Quale storia?»

«La querela per diffamazione che il professor Viterbi della Sapienza mi ha...»

«Non si allarmi, professore. Non so nulla di questa querela.»

«E allora che vuole?»

«Mi scuso, ma mi necessita sapere qualcosa su una sua allieva di qualche anno fa.»

«Sa quante allieve...»

«È un'indagine riservata. Molto. Che non la coinvolge in nessun modo, mi creda.»

«Senta, commissario, allieve e allievi ne ho avuti così tanti che, lei capisce, non posso assolutamente garantirle di...»

«Vogliamo provarci?»

«Va bene.»
«Dall'Università mi è stato detto che questa sua allieva si è laureata nell'anno accademico '97-98...»
«Mi scusi lei, ma proprio non si rende conto. Come faccio, a distanza di dodici anni a...»
«Aspetti. Lei era il relatore.»
«Embè?»
«La tesi verteva sulle attribuzioni degli affreschi del Beato Angelico nel convento di San Marco...»
«Laura!»
«Laura Garaudo, precisamente.»
«Ma guarda un po'! Laura Garaudo! Che diavolo ha combinato quella sciagurata?»
«Non ha commesso nessun reato, se è per questo. Come mai se n'è ricordato immediatamente?»
«Perché Laura è stata un'allieva speciale. Di quelle che ne capitano una ogni dieci anni.»
«Una rarità.»
«Dice bene. A parte il fatto che era molto bella, il che non guasta mai, era anche molto intelligente, pronta, acuta. E poi... sempre sorridente, cordiale con tutti...»
«Ma la sua eccezionalità in che consisteva?»
«Aveva delle intuizioni fulminee, folgoranti, ci lasciavano tutti perplessi, ma poi, alla prova dei fatti, si rivelavano esatte. Sa, non tutti gli affreschi di San Marco sono di mano del Beato Angelico... Bisogna possedere occhio e intuito per le attribuzioni. Sarebbe potuta diventare una studiosa di prim'ordine.»
«E invece?»
«Mi deluse profondamente.»

«Come?»

«Volevo che ampliasse la tesi perché, col mio aiuto, fosse pubblicata, le ho chiesto anche di diventare mia assistente, ma lei ha rifiutato tutte e due le proposte.»

«Perché?»

«È stato come se di colpo avesse perduto ogni interesse per la storia dell'arte, per lo studio, per la ricerca... Non le diedi pace finché non mi confidò che si era innamorata di un cadetto dell'Accademia di Livorno e che sarebbe andata a vivere con lui... Aveva deciso di diventare una madre di famiglia. Peccato.»

«Non può dirmi altro?»

«Di cosa?»

«Della sua vita di quand'era studentessa. Mi creda, qualunque elemento mi può essere utile.»

«Non è che io la frequentassi, sa? I nostri incontri erano di studio e avvenivano all'università.»

«Capisco. Ma lei ricorda di qualcuno, un amico intimo, un precedente fidanzato, con cui io possa mettermi in contatto?»

«No... ma le dico una cosa. Era soprannominata "Noli me tangere".»

«Perché?»

«*Noli me tangere* è il nome di un affresco dell'Angelico in San Marco. Lo conosce?»

«Sì. Ma non vedo cosa...»

«Bella com'era, tutti i ragazzi, prima o poi, ci provavano con lei. Ma Laura, niente. Da quell'orecchio non ci sentiva. Ecco perché la chiamavano così. Tra l'altro, proprio su quell'affresco Laura aveva avuto una delle sue formidabili intuizioni.»

«Ah, sì? Quale?»

«Senta, così, al telefono, è un po' complicato. Le scrivo stasera stessa un'email. Mi dà il suo indirizzo?»

«Lei è veramente gentile, professore.»

12 giugno 2010

«Non capisco lo scopo della sua venuta.»

«Gliel'ho detto per telefono, no? Visitare la casa.»

«Vuole fare una perquisizione?»

«Ma che dice?!»

«Lei adopera un verbo, "visitare", che serve ad alleggerire...»

«Signor Todini, io non alleggerisco niente. Se avevo in mente di perquisire la sua casa sarei venuto munito di regolare mandato.»

«Va bene. Ma le chiedo: a che scopo? Che cosa vuole trovare? Crede che tenga nascosto da qualche parte il cadavere di Laura?»

«Signor Todini, per carità, ma che va pensando? Capisco che lei sia nervoso e stanco, ma... stia calmo, per favore. Deve credermi se le dico che quello che sto facendo è molto importante per le indagini. Se lei ritiene che il mio comportamento sia irrispettoso verso di lei, si rivolga al Questore, come del resto ha già fatto quando la signora è andata via. Sarò ben felice se questa indagine sarà affidata a qualche collega più abile di me.»

«Dottor Maurizi, la prego di scusarmi. Ho avuto uno scatto del quale mi vergogno. Mi perdoni. Da dove vuole che cominciamo? Dalla nostra camera da letto?»

«Non m'interessa. La signora aveva una sua stanza dove si ritirava a scrivere, a pensare?»

«Sì, il mio ex studio. Quando Laura è venuta ad abitare qui, l'ho lasciato a lei e io ho affittato un appartamentino nel palazzo accanto.»

«Ecco, vorrei vedere solo quella stanza.»

«Mi segua. Ecco, si accomodi pure.»

«Bello! Un Morandi... un Carrà... un Donghi...»

«Vedo che se ne intende. Laura si sedeva sempre davanti a questa scrivania.»

«Usava il computer?»

«Sì.»

«Non lo vedo.»

«L'ha portato con sé. Qui, in questa scaffalatura, ci sono le sue poesie, le sue prose...»

«Anche il romanzo che stava scrivendo?»

«No, ha portato via anche quello. E in questo armadietto c'è la sua corrispondenza. Magari quella di vent'anni fa, quand'era una ragazzina...»

«Lei ha letto queste lettere?»

«Mai. Leggevo solo quello che Laura voleva che leggessi. Senta, dottore, io devo andare, ho delle persone che m'aspettano nello studio.»

«Posso restare a guardare un po' in giro?»

«Faccia come vuole. Anzi, sa che le dico? Che se trova qualcosa di interessante, può anche prenderlo in prestito. Se serve all'indagine...»

10 marzo 2000

Taranto, 10 marzo 2000

Laura,

non ho risposto subito alla tua lettera, e alle infinite tue chiamate successive, perché proprio non potevo, non ero in grado di farlo. Non che me ne mancasse il tempo o la voglia, ma quanto mi hai scritto mi ha talmente sconvolto da far nascere dentro di me un inestricabile groviglio di sentimenti contrapposti che prima mi ha prostrato e poi ha finito col paralizzarmi. Ora, quando su tutto questo tempestoso turbinio sono finalmente prevalsi il disgusto (non trovo altro termine) e la pietà, sono in grado di rivolgerti la parola. Non per continuare un dialogo ormai inutile, ma per interromperlo definitivamente.

Per tutto il periodo nel quale abbiamo vissuto insieme a Livorno, noi due siamo stati come Adamo ed Eva nel giardino dell'Eden. Abbiamo fatto un pieno di felicità assoluta, totale. Benché io non ti abbia mai nascosto la mia perplessità davanti alla tua decisione di abbandonare Bologna e la brillante carriera che ti veniva offerta per venire a vivere con me. Te lo confesso: non mi sentivo all'altezza del tuo gesto. Ma tu sei stata irremovibile. E per questo, alla fine, ti ho amato più di quanto già ti amassi, più di quanto pensavo si potesse amare un'altra persona. Ti ho raggiunta valicando anch'io quel limite che tu avevi già oltrepassato.

Quando sono dovuto partire con la Vespucci la nostra non è stata una dolorosa, seppur momentanea, separazione, ma una profonda lacerazione, tanto eravamo diventati un corpo solo.

Di ritorno da quei tre mesi di crociera, fin dalla prima notte che finalmente ritrascorremmo insieme notai in te come un impaccio, un accenno, non so come definirlo, di non totale appartenenza. Quando ti dissi di questa mia sensazione tu mi persuadesti che era sbagliata. Ma la cosa si ripeté la notte dopo e l'altra dopo ancora. Poi tutto tornò felicemente come prima.

Fu allora che capii la verità. No, non c'era stato un altro uomo come avevo in un primo momento supposto. Era il tuo corpo che non sapeva mentire e che mi aveva semplicemente detto che si era dimenticato di me. Il tuo cervello no, il tuo cuore no, ma il resto del tuo corpo sì.

Non ho potuto portarti subito con me a Taranto, quando mi hanno destinato qui. È stato un grosso errore, lo riconosco. Ci siamo telefonati due volte al giorno, di mattina al risveglio e di notte prima d'addormentarci. Poi c'è stata la tua chiamata straordinaria mentre ero di servizio. Mi hai detto, anzi gridato, ridendo e piangendo di gioia, che eri incinta e che dovevo lasciare tutto e raggiungerti immediatamente a Livorno per condividere con te quel bellissimo momento. Profondamente turbato dalla notizia, ti ho risposto che non potevo muovermi e che era meglio se venivi giù tu, saremmo andati a dormire in albergo dato che io sono ospitato nella caserma della Capitaneria. Dovevamo assolutamente ragionare sul da farsi. Tu ti sei rifiutata, ostinatamente, sostenendo che una squallida camera d'albergo non era il posto ideale per parlare di quell'argomento così tanto importante per noi due. Quella notte abbiamo avuto una lunga discussione telefonica. Io ti dissi sinceramente qual era il mio parere e cioè che, a parte il fatto non trascurabile che non mi sentivo pronto alla paternità, l'arrivo di un figlio avrebbe ulteriormente complicato la nostra situazione, come dire, logistica. Apriti cielo! Hai reagito con estrema violenza, vedendo nel mio atteggiamento un chiaro segno di disamore per te. Non era affatto così e ho cercato di convincerti, ma invano. Non hai idea della fatica che ho fatto per ottenere un permesso di ventiquattr'ore e raggiungerti a Livorno.

Per amor tuo, avevo deciso di fare come tu volevi. Ci saremmo tenuti il figlio. E più ci pensavo, più sentivo nascere dentro di me e per te un nuovissimo e diverso impeto amoroso. Spasimavo per tenere tra le mie braccia il tuo corpo che aveva fatto germogliare il mio seme.

Ma a Livorno è successo l'incredibile. Entrando, ti ho trovata in poltrona che guardavi la televisione. Non ti sei nemmeno alzata per venirmi incontro, e quando ho accennato ad abbracciarti mi hai detto: non mi toccare. E poi hai continuato, con una voce senza inflessioni, che non dimenticherò più: guarda che non è vero, ti ho detto una balla, non sono incinta, volevo solo metterti alla prova. È stata una mazzata, mi si sono piegate le ginocchia.

Quando ho girato le spalle e sono corso fuori, avevo un solo pensiero in testa: precipitarmi alla stazione per prendere il primo treno che mi riportasse giù. Volevo fuggire, mettere la maggiore distanza possibile tra me e te. Non ho avuto più tue notizie fino a cinque giorni fa, quando mi è arrivata la tua lettera. Come se nulla fosse mi scrivi che sei andata ad abortire in Svizzera e, a riprova, accludi il conto della clinica.

Ne sono rimasto annientato. Non avevo nemmeno la voce per rispondere alle tue telefonate. E non capivo perché insistevi a chiamarmi. Volevi raccontarmi qualche altra menzogna?

Ti sei presa gioco, in modo ignobile, dei miei sentimenti. Mi hai ferocemente negato quella paternità che ormai io ero felice d'accettare. Hai voluto crudelmente punirmi per avere avuto qualche attimo d'esitazione, per aver cercato di ragionare su di un evento che invece tu avresti voluto da me accettato con la stessa gioia tua.

E ora, se ripenso ai giorni e alle notti trascorse con te, la sensazione che provo è di disgusto. Disgusto per il tuo corpo, persino per la tua voce. Mi sembra di avere la pelle ancora impregnata da qualcosa di così paludoso, di così maleodorante che ci vorrà tempo per mandarlo via.

Non ti odio, provo per te una sconfinata pietà.

Una donna che arriva a fare a un uomo quello che hai fatto tu non è una donna malvagia, ma un'infelice, una specie di malata che non sa controllare i suoi istinti, i suoi impulsi e che da essi, anzi, si lascia facilmente governare.

Mi auguro di sbagliarmi, ma ormai sono convinto che tu sei fatta così ed è inutile cercare di farti cambiare.

Non credo ci rivedremo più.

Ernesto

P.S. Ti avverto che non pagherò l'affitto dell'appartamento di Livorno a partire dal prossimo mese e che non riceverai la mia rimessa mensile. Regolati di conseguenza.

senza data

La GIOCONDA
Bar PASTICCERIA
Via Raciti 18 - Roma

Non fare la stronza con me, hai capito, stronza?
A che gioco voi giocà?
La notte te fai scopà come a na troia che non t'abbasta mai e la matina appresso vieni al bar, te siedi e me comandi?
Va bè che faccio il cameriere e che te devo servì, ma com'è che nun te ne va bene una?
Na vorta il caffè è freddo, na vorta te l'ho macchiato troppo, n'artra vorta te sei messa a strillà che avevo toccato il cucchiaino con la mano...
Te diverte tanto de fà la signora cliente pretensiosa e rompicoglioni col sole e la mignotta con lo scuro?
Me voi umilià? Er padrone già du' vorte m'ha detto de stacce attento con te.
Bada che se me caccia è peggio per te.
Se me caccia, col cazzo che la notte vengo da te.
Hai capito? Come a te, e magari meglio di te, ne trovo quante ne vòio. Che te credi, che ce l'hai tu sola?

2 settembre 2009

Roma, 2 settembre 2009

Laura cara,

purtroppo non possiamo parlarci di persona, tu hai l'influenza e io dovrò restare in clinica ancora quattro giorni. L'incidente è stato brutto, mi sono un po' scassata ma tutto sommato non mi è andata così male come si era creduto in un primo momento e ora mi sto avviando a una completa guarigione.

Volevo dirti che oggi è venuto a trovarmi Giacomo. Non ho potuto dire di no alla sua visita, era la terza volta che telefonava per vedermi. Evidentemente si voleva sfogare. E io mi son dovuta rassegnare e armare di pazienza. Era avvilito, depresso e soprattutto offeso. Parlare gli costava fatica e a un certo momento ho addirittura temuto che si mettesse a piangere. In sostanza, non riusciva a darsi pace del modo brutale col quale lo hai liquidato. Mi ha raccontato che tu gli hai telefonato dicendogli che non potevi andare a trovarlo, come avevate concordato. E alla sua richiesta di spiegazioni avresti risposto che avevi avuto un attacco di diarrea e che avevi preso la decisione irrevocabile, durante la nottata insonne tra il cesso e il letto, di non rivederlo più.

«Mi ha cacato come uno stronzo!» non faceva che ripetere, desolato.

Ora, che Giacomo sia uno stronzo è pacifico, e di questo ti avevo avvertito quando tu, come sei solita fare, te ne sei infatuata ciecamente, ma mi pare che tu abbia inutilmente infierito.

Voglio metterti in guardia. Sono più che certa che Giacomo, appena si sarà ripreso dalla botta, tornerà alla carica. E dato che è quello che è, userà ogni mezzo. Quello è capace di ricorrere al ricatto, di fare qualsiasi stronzata, persino di mettere in pericolo il tuo matrimonio. Se vuoi sentire il mio consiglio, telefonagli, digli che non ti sei resa conto di quello che dicevi, rabboniscilo. Non ti dico di andarci di nuovo a letto, ma di tenerlo sulla corda, di lasciargli intravvedere la possibilità che la vostra storia riprenda. Insomma, cerca di guadagnare tempo, poi si vedrà.

Ti abbraccio, sperando che il vento non soffi tanto forte.

Giulia

13 giugno 2010

Da: Aldo Soncini
A: Luca Maurizi
Data: 13 giugno 2010
Oggetto: Laura Garaudo

Gentile dottor Maurizi,

come le avevo promesso, le racconto la straordinaria intuizione che Laura ebbe la prima volta che, me presente, vide l'affresco *Noli me tangere* dell'Angelico.

Certamente le è noto che l'episodio dell'incontro tra Maria Maddalena e Gesù, dopo la sua Resurrezione, si trova nel Vangelo di Giovanni. Maria Maddalena si reca da sola, e che è ancora buio, alla tomba di Gesù, situata in un orto, per piangerne disperata la morte. Ma trova la tomba vuota. Stupita, domanda a un uomo, che è lì presente e che lei crede sia l'ortolano, se abbia preso lui la salma. Ma l'uomo si fa riconoscere chiamandola per nome. È Gesù risorto. Di slancio, Maria Maddalena si precipita verso di lui. Ma Gesù la ferma dicendole: "Non mi toccare". Il movimento della Maddalena è sottinteso, infatti nella versione del Vangelo curata dal Ricciotti, uno dei nostri massimi esegeti, si legge testualmente: "Gesù le disse: Maria. Ed ella, voltatasi, esclamò: Maestro! Gesù le disse: Non mi toccare"... Come vede, non è esplicitamente detto che Maria Maddalena cercò di toccare o d'abbracciare Gesù. È molto probabile che ne abbia avuto l'intenzione ma che venne anticipata e fermata dalle parole di Cristo.

In un'altra versione dello stesso testo di Giovanni, commentata da Marco Adinolfi, la situazione è invece narrata così: "E Gesù a lei: Maria! Volgendosi, essa risponde in ebraico: Rabbuni! (che significa Maestro mio). Gesù le dice: Non mi stringere così".

Addirittura stringere!

E perciò l'Adinolfi s'affretta a commentare: "Scambiato prima per l'ortolano, Gesù si lascia riconoscere dalla donna che esorta a non tenersi avvinghiata ai suoi piedi".

Di questo avvinghiamento ai piedi Giovanni però non ha mai fatto cenno alcuno.

Ora, se lei guarda l'affresco dell'Angelico, vede la Maddalena inginocchiata, col braccio destro proteso verso i piedi di Gesù ma con il braccio sinistro levato più in alto rispetto al destro e con la mano semiaperta assai vicina a quella di Gesù. Mano, quella di Gesù, che a sua volta non sembra fare un deciso gesto d'allontanamento. Tutt'altro. È come se si fosse appena aperta per lasciar scivolare via qualcosa che un momento prima aveva stretto.

Ebbene, Laura rilevò questa sostanziale ambiguità che l'affresco esprime e subito esclamò: "Ma si sono già toccati!". E alla mia richiesta di un chiarimento aggiunse che le pareva evidente che l'Angelico aveva voluto raffigurare il momento immediatamente successivo a quello in cui la mano sinistra di Maria Maddalena e quella destra di Gesù si erano afferrate l'un l'altra e poi rilasciate per l'intimazione di Gesù.

Una simulazione al computer del movimento, effettuata con

un programma grafico 3D, dimostrò che l'intuizione di Laura era assolutamente plausibile.

Ma c'è di più. Mi ricordo che domandai a Laura perché, secondo lei, Gesù e Maria Maddalena si sarebbero solo toccati le mani.

Non seppe rispondermi.

Anni dopo, ho avuto una risposta a quella mia domanda. Non da Laura, della quale ormai non sapevo più nulla, ma dalla lettura di uno dei Vangeli apocrifi. In uno di essi (non ricordo quale e non ho sottomano il libro) è raccontato che Maria Maddalena, quando sa della condanna a morte di Gesù, riesce a raggiungerlo e così l'implora: "Datemi le vostre mani che mi hanno tanto amato".

Quindi, riprendersi per mano dopo la Morte e la Resurrezione era un segno di continuità. Ancora una riprova che Laura aveva avuto un'intuizione tanto brillante quanto giusta.

Adesso, mentre le scrivo, mi torna in mente che chiesi a Laura quale fosse l'interpretazione che lei dava del seguito della frase di Gesù: "Non mi toccare, perché non sono ancora salito al Padre mio". E lei mi rispose: "Perché ha ancora un corpo, perché è ancora carne. Il corpo è un peso del quale deve liberarsi prima di ascendere al cielo". Ma questa è una semplice curiosità che le riferisco per completare il quadro.

Non voglio ulteriormente annoiarla e la saluto formulando i miei migliori auguri per il suo lavoro nella speranza che mi possa dare, se lo riterrà opportuno, altre notizie su Laura. Ho letto, cercando in rete, della sua scomparsa, e spero che ci siano presto novità rassicuranti.

Cordialmente,

Aldo Soncini

14 giugno 2010

«Buongiorno. Si accomodi. Spero tanto che la sua visita significhi che ci sono novità.»

«Qualcuna, che ora le racconto. Intanto sono venuto a restituire tre lettere che ho preso dalla corrispondenza di sua moglie. Si ricorda che me ne aveva dato l'autorizzazione?»

«Certamente.»

«Eccole.»

«Mi vuole usare la cortesia di venire di là con me nello studio e di rimetterle a posto?»

«Non vuole nemmeno toccarle?»

«Non è questo. È che, se le toccassi, sono certo che non resisterei alla tentazione di leggerle.»

«Forse farebbe bene.»

«Le sono state utili?»

«In un certo senso.»

«Danno almeno una lontana possibilità di capire le ragioni che l'hanno spinta a questa fuga?»

«Assolutamente no.»

«E allora?»

«Mi hanno fatto però intravvedere alcuni aspetti della personalità di sua moglie. Ecco fatto.»

«Se ne vuole prendere altre...»

«Grazie, quelle che ho letto mi sono bastate. Mi scusi, ma devo tornare su una domanda che le ho fatto in precedenza. Mi ha già raccontato che quando disse alla signora che non intendeva avere figli, lei non reagì.»

«È stato così.»

«Non lo metto in dubbio. Ma non notò nessun segno, anche minimo, di, che so, disillusione, disappunto...»

«Mi sembrò del tutto indifferente alla questione. Perché? In qualche lettera se ne lamenta, forse?»

«No, un'idea che m'era passata per la testa. In questi giorni è arrivata della posta per la signora?»

«Nessuna.»

«Telefonate?»

«Filippa mi ha riferito che ce n'è stata una sola. Veniva dalla libreria dove lei si serve, la volevano avvertire che il libro che aveva ordinato era arrivato.»

«Lei sa di che libro si tratta?»

«No, ma se vuole... è la Libreria Aurora, nella strada parallela a questa.»

«La signora, che lei sappia, teneva un diario o qualcosa di simile?»

«Qualcosa di simile, m'è parso di capire. Non si tratta però di un diario sistematico, giornaliero... se qualcosa la colpisce lei ha l'abitudine di annotarlo.»

«Non l'ho trovato.»

«Non so che dirle. Probabilmente l'ha portato con sé.»

«Oppure lo tiene nell'altro appartamento.»

«Quale?»
«Come quale? Quello di sua proprietà, dove abitava prima di venire a vivere con lei.»
«Ce l'ha ancora? Credevo l'avesse venduto. Lei mi sta dicendo che qualche volta ci andava?»
«Di sicuro una volta, accompagnata da Filippa. Se fosse possibile, vorrei dargli un'occhiata.»
«... Faccia pure.»
«Ha idea di dove possano essere le chiavi?»
«Tutte le chiavi le tiene dentro una scatola di metallo nel primo cassetto a sinistra. Apra pure.»
«Ecco la scatoletta. È vuota.»
«Allora non so come possa... Senta, non voglio parere scortese, ma mi dice queste novità?»
«Ho pregato un mio collega di fare un controllo. Sua moglie ha dormito all'Hotel Columbus di Firenze la notte tra il 5 e il 6, è arrivata dopo la mezzanotte con la sua macchina che ha messo nel garage dell'hotel, ed è ripartita il giorno dopo.»
«Era... sola?»
«Sì.»
«Sarei stato quasi più tranquillo se m'avesse detto che era in compagnia. Passo le notti a farmi domande su domande... non riesco più a scrivere... Ma perché se ne va in giro... così... senza uno scopo... che le è preso? Sa, ho parlato col nostro medico... m'era venuto il dubbio che Laura non stesse bene e me l'avesse tenuto nascosto...»
«Che cosa le ha detto, se non sono indiscreto?»
«Che stava benissimo.»
«Di questo ero convinto anch'io.»

«E poi mi domando... Senta, commissario, ma non è che controllando i movimenti della sua tessera del Bancomat si potrebbe...»

«Certo, ci ho pensato subito. Non c'è stato nessun prelievo col Bancomat perché la signora ha chiuso il conto con la sua banca prelevando di persona l'intero deposito.»

«Quando è stato?»

«La mattina stessa del giorno nel quale è andata via.»

«Le hanno detto quanto...»

«Quasi centocinquantamila euro. Lei dava un mensile a sua moglie?»

«Assolutamente no. Laura l'avrebbe rifiutato.»

«Allora come mai aveva questi soldi?»

«Erano i resti dell'eredità paterna.»

«Comunque, una bella somma. Se lo vuole, può andare molto lontano. A proposito, come guida?»

«Laura? Ha una guida piuttosto veloce. Perché me lo chiede?»

«Perché se è partita da qua nel primissimo pomeriggio, come mai è arrivata a Firenze dopo la mezzanotte? Ha fatto una sosta intermedia? O è rimasta ancora a Roma per qualche ora?»

«Mi dispiace di non poterle essere di nessun aiuto. Mi scusi, ma mi leva una curiosità?»

«Dica pure.»

«Perché ha pensato che mia moglie potesse essere andata proprio a Firenze?»

«Così... diciamo che è stata una felice intuizione.»

14 giugno 2010

«Lei è il portinaio? Sono il commissario Maurizi.»

«Che vole?»

«Vorrei dare un'occhiata all'appartamento della signora Laura Garaudo. Ho l'autorizzazione scritta del marito.»

«Embè?»

«La cameriera della signora mi ha detto che lei ha una copia delle chiavi. Me le può dare?»

«Nun ce l'ho più.»

«Che significa?»

«Significa che la signora me telefonò de dalle all'agenzia quanno che venivano a dimannammele. È venuto uno e gliele ho date.»

«Si ricorda il nome dell'agenzia?»

«Sì. Se chiama L'Occasione. Sta qui girato l'angolo.»

«Grazie.»

«Buongiorno. Sono qui per l'appartamento di via Liberati 15. È in vendita, vero?»

«Sì, certo. Guardi, è un po' da ristrutturare ma è molto luminoso...»

«Da quanto è in vendita?»

«Da una quindicina di giorni, abbiamo già dei clienti ma se lei vuole visitarlo...»

«Senta, mi perdoni, io non sono qui come acquirente. Sono Maurizi, della Questura. No, non si allarmi, solo un paio di domande.»

«Certo dottore, mi dica.»

«A quanto mi risulta nell'appartamento ci sono ancora le cose della signora Garaudo.»

«Sì, la signora ce l'ha detto. Ha pure detto che quelle cose non avevano più nessuna importanza per lei. Ci ha avvertito che stava per fare un lungo viaggio e che non ci sarebbe stato possibile tenerci in contatto con lei.»

«Vi ha lasciato un nominativo al quale rivolgervi nel caso ci fossero delle offerte?»

«Ci sono già state. Anzi, con la vendita siamo a buon punto.»

«Mi vuol dire chi rappresenta gli interessi della signora?»

«Sì. Aspetti un attimo... È l'avvocato Michele Doria. Vuole il telefono?»

15 giugno 2010

«Non posso che ringraziarla, avvocato Doria, per la sincerità con la quale mi ha parlato dei suoi rapporti con la signora Garaudo.»

«Se lei avesse interrogato Laura sui suoi rapporti con me o con qualsiasi altro, stia pur sicuro che le avrebbe risposto con altrettanta sincerità.»

«Ora le chiedo: lei lo sapeva che la signora aveva l'intenzione di lasciare il marito e andarsene?»

«Non lo sospettavo minimamente.»

«Quindi lei, che era l'amico più intimo della signora, seppe della fuga a cose fatte?»

«Non proprio.»

«Si spieghi.»

«Venne a dirmelo esplicitamente.»

«Quando?»

«Si presentò da me il pomeriggio del giorno cinque.»

«Il giorno stesso della sparizione?»

«Precisamente. Potevano essere all'incirca le quattro. Si era fatta precedere da una telefonata.»

«Mi faccia capire bene. Uscita da casa, prima di mettersi in viaggio, venne da lei?»
«Esattamente.»
«Quindi lei è l'ultimo suo conoscente col quale ha parlato?»
«Pare di sì.»
«Le disse il perché di questa fuga?»
«No. Mi disse solo che intendeva andarsene. Mi precisò però che non c'era di mezzo nessun uomo.»
«E lei le credette?»
«A me non ha mai mentito.»
«Le disse dove voleva andare?»
«Nemmeno questo. Né io glielo domandai.»
«Perché?»
«Perché se non me l'aveva detto era chiaro che non voleva dirmelo, e io rispettai la sua volontà. Mi parlò invece dell'appartamento che voleva vendere e mi diede anche la delega.»
«Le indicò dove inviarle o versarle la somma eventualmente ricavata dalla vendita?»
«Sì, ma non avrei dovuto inviargliela subito.»
«Cioè?»
«Dovevo trattenerla e poi inviarla a una persona della quale mi sarebbero state fornite, a tempo debito, le generalità.»
«Fornite dalla signora?»
«No, da lei no, da qualcuno che si sarebbe fatto vivo con una parola d'ordine.»
«Che era?»
«Beato Angelico.»

«Sul quale aveva scritto la sua tesi di laurea.»
«Sa anche questo?»
«Fino a che ora la signora si è trattenuta da lei?»
«Fino alle nove di sera o poco più.»
«Mi perdoni la domanda. Avete...?»
«No. Io avrei voluto, ma lei non... Me lo disse in latino: "Noli me tangere". Abbiamo parlato, poi ordinato una pizza. Ce la siamo mangiata, ci siamo abbracciati a lungo, sapevamo tutti e due che era una specie di addio, e dopo è partita.»
«I vostri incontri dove avvenivano?»
«A volte da me, sono scapolo. Più spesso però nel suo appartamento di via Liberati.»
«Sa, avvocato, ho avuto modo di leggere un po' della corrispondenza della signora.»
«Mattia le ha dato il permesso?»
«Sì. È stato molto comprensivo.»
«Mattia, pur di non leggerle lui, farebbe leggere quelle lettere a tutti.»
«Alcune mi hanno proprio interessato.»
«Quali?»
«Una che riguardava i suoi rapporti col guardiamarina del quale era innamorata, una di un suo amante occasionale e la terza dell'amica Giulia che parlava di un altro ex amante. Ce n'erano altre di questo tenore.»
«Me l'immagino.»
«Lei era al corrente del fatto che la signora aveva una vita sessuale così intensa?»
«Certo che ne ero al corrente.»
«Per via indiretta? Chiacchiere tra amici, dicerie da salotto, allusioni... cose così?»

«Ma no! Era lei stessa a tenermi informato. Mi diceva tutto, quando ne aveva voglia. E naturalmente, da quelle lettere avrà ricavato un'immagine a dir poco pessima di Laura.»

«Sinceramente, no.»

«Davvero?»

«Non faccio il giudice, non ne ho la vocazione, e se pensa che mi sia scandalizzato, si sbaglia.»

«Dice sul serio?»

«Mi ha dato invece l'impressione che la signora, in questo suo continuo darsi, volesse... è difficile spiegarmi... volesse perdersi...»

«O piuttosto annullarsi?»

«Ecco, annullarsi, sì, è il verbo giusto.»

«Mi congratulo vivamente con lei, commissario. È un uomo molto sensibile e acuto.»

«Perché mi dice questo?»

«Perché molti si sono fatti un'idea sbagliata di Laura. Pensi che una volta un suo ex le disse che su di lei soffiava il vento del deserto perché lei era il deserto. Laura era, semmai, una fonte. Un giorno, eravamo nel suo appartamento, le chiesi il perché di questo sperpero che tra l'altro non le dava gioia o appagamento. Non mi rispose subito. Dopo un po' andò a prendere un libro e tornò a letto. Erano le poesie di Dino Campana.»

«Conosco.»

«Ah, sì? Lei continua a sorprendermi. Meglio, così le verrà più facile capire. Mi lesse quella famosa poesia che canta un amplesso, se la ricorda?, e che termina con due versi straordinari, dove il poeta, impugnando la gola della donna, finalmente entra nella sua patria antica, "nel gran nulla". Allora capii quello che Laura cercava. Il gran nulla. Era proprio a questo che aspirava. Che è, a ben pensarci, una forma d'assoluto.»

15 giugno 2010

«Maurizi? Sono Pirro. Ciao, carissimo. Non speravo di trovarti ancora in ufficio così tardi.»

«Stavo per andarmene. Dimmi.»

«Ti telefono a proposito di quella signora che ti ho detto che ha dormito una notte qua a Firenze... come si chiama... Gabaudo?»

«Garaudo.»

«Ti ricordi che mi hai dato anche il numero di targa dell'auto?»

«Sì. E allora?»

«L'abbiamo ritrovata.»

«La signora o la macchina?»

«La macchina.»

«Dov'era posteggiata?»

«Non era posteggiata. È precipitata da un ponte piuttosto alto di una strada secondaria che porta a Pisa.»

«Oddio! E lei?»

«No, non ti allarmare. Mi hanno detto che l'auto era vuota. E per quanto abbiano cercato nelle vicinanze non hanno trovato, e questo è strano, nessun corpo.»

«Forse nella caduta è stata scaraventata fuori e...»

«Ci hanno pensato anche loro, che credi? Niente. Volatilizzata.»

«Ma non è possibile!»

«Eppure è così. Mi hanno anche precisato che l'auto è tanto malridotta che se c'era qualcuno dentro ci avrebbe di sicuro lasciato la pelle. Non hanno nemmeno trovato tracce come una borsetta, una scarpa, niente. I documenti dell'auto erano nel cruscotto.»

«Anche la patente?»

«No, quella no.»

«E come si spiega 'sta storia?»

«Non si spiega. Ma ho un'idea in proposito.»

«Quando è successo?»

«Qualche giorno fa. Secondo me dev'essere successo lo stesso giorno che ha lasciato l'albergo, il 6.»

«Ma come mai non l'hanno vista prima?»

«È stata scoperta solo adesso perché era andata a finire in una specie di bosco che c'è sotto il ponte.»

«L'avete recuperata?»

«Non ancora. Non è facile, sai.»

«Meglio così.»

«Perché?»

«Domattina vengo a Firenze. Voglio andare a vedere di persona. Potresti pregare qualcuno della Scientifica di venire con me?»

«Non ti scomodare. La Scientifica ha fatto i suoi rilievi. Non c'è la minima traccia di sangue all'interno dell'auto. Impronte digitali quante ne vuoi, ma non sappiamo a chi appartengono.»

«Ce n'erano anche sulla parte esterna posteriore?»

«Complimenti, Maurizi. Vedo che anche tu sei arrivato alla stessa conclusione mia.»

«La macchina non è precipitata, è stata fatta precipitare.»

«Che tu sappia, la signora aveva qualcosa di valore con sé?»

«Gioielli, non so. Di sicuro, centocinquantamila euro.»

«In contanti?»

«Credo di sì.»

«Cazzo! Allora può darsi che sia stata rapinata e...»

«Ma perché prendersi tutto quel disturbo con la macchina? Potevano abbandonarla lì o portarsela via.»

«Forse perché volevano ritardare la scoperta della rapina.»

«È possibile, ma...»

«Ma?»

«C'è qualcosa che non mi quadra.»

«Che cosa?»

«Ancora non lo so.»

«Senti, Maurizi, posso mettere al corrente della faccenda la Mobile e quelli dell'Antirapine?»

«Certamente. Senti, faccio una cosa. Ora vado a casa della Garaudo, prelevo qualche oggetto sicuramente maneggiato da lei e poi ti invio le impronte.»

«Va bene.»

16 giugno 2010

«Pronto? Casa Todini?»
«Sì.»
«Sono il commissario Maurizi. È lei, Filippa?»
«Sì.»
«Vorrei parlare con...»
«Nun c'è.»
«È uscito?»
«Pe' esse uscito, è uscito.»
«Sa quando torna?»
«Nun lo so.»
«Ma per l'ora di pranzo, sicuramente...»
«Nun so gnente, je dico. L'hanno portato all'ospedale.»
«All'ospedale?! Ma perché, che è successo?»
«È successo che stamatina ha ricevuto la posta.»
«Embè?»
«Lui era nello studio e io 'n cucina, no? Me lo vedo comparì davanti che pareva un morto, con 'na lettera 'n mano, tutto che tremava, me dice de daje un bicchiere d'acqua ma non ho fatto a tempo che se ne è annato giù pe' tera. M'ha fatto prenne 'no spavento, m'ha fatto!»

«E allora?»

«Che dovevo fà? Me lo so' strascinato infino al letto e ho chiamato er medico suo.»

«Che ha detto il medico?»

«Ch'era stata la botta de la lettera. E l'ha fatto portà all'ospedale per via der core che nun ce l'ha tanto bono.»

«Il medico l'ha letta 'sta lettera?»

«Essì.»

«E ora dov'è?»

«Er medico? E che ne so?»

«No, parlavo della lettera.»

«E dove ha da esse? Sul tavolo de la cucina.»

«La lasci lì. Arrivo subito.»

«De prescia, però. Che devo annà a fà la spesa.»

Mettiti ***il*** CUORE in pace

NON

VE*d***RAI** PIU'

LAURA

STA be**n***E*

con

NOI

17 giugno 2010

IL MESSAGGERO

LA SCOMPARSA DI LAURA GARAUDO
ORA SI TEME UN RAPIMENTO

Roma.- Sulla misteriosa scomparsa di Laura Garaudo si addensano ombre sempre più cupe e minacciose. In un primo momento si era pensato a un allontanamento volontario dovuto a ragioni private. Addirittura, dal momento che è noto negli ambienti letterari della Capitale come la Garaudo stesse lavorando al suo primo romanzo, destinato ai tipi dello stesso editore del marito, in rete è circolata la notizia - del tutto non confermata - che si trattasse di un'inedita forma di lancio pubblicitario.
Ma adesso il campo delle ipotesi non può che cambiare in peggio: il ritrovamento della sua auto, precipitata o fatta precipitare da un ponte su una strada secondaria che da Firenze porta a Pisa, e una preoccupante lettera anonima pervenuta al marito Mattia Todini disegnano un quadro a tinte fosche. È probabile che la signora, allontanatasi da casa

in un primo tempo di sua spontanea volontà, sia incappata successivamente in una banda di malfattori che sembra la tengano prigioniera. Ma a che scopo se, come pare certo, nella lettera anonima non si fa cenno a un eventuale riscatto? Il dottor Maurizi, incaricato dell'indagine, non ci ha voluto rilasciare dichiarazioni al riguardo.

18 giugno 2010

«Li ha visti ieri i giornali, Maurizi?»

«Sì, signor Questore.»

«Non ce n'era uno che non si occupasse della scomparsa della Garaudo. Ieri pomeriggio, poi, ho ricevuto una telefonata dal Ministro. È molto amico di Todini. Mi ha detto che lo stiamo uccidendo.»

«Chi?»

«Todini.»

«E perché?»

«Perché secondo lui, Todini voglio dire, l'indagine va a rilento. E ogni giorno che passa senza che si arrivi a un qualche risultato aggrava la sua angoscia. Sempre secondo lui, lei perde tempo a leggere le lettere private della signora e non fa altro.»

«Signor Questore, dato che non riusciamo a scoprire il motivo per cui la Garaudo ha abbandonato il tetto coniugale, e Todini al riguardo non è molto loquace, ho voluto leggere qualche lettera indirizzata alla signora da persone diverse per cercare di capire com'era, come agiva, cosa pensava...»

«E ci è riuscito?»

«No.»
«Come mai?»
«La signora ha una personalità tanto complessa quanto affascinante.»
«Pare avesse molti amanti.»
«Sì.»
«Ha parlato con qualcuno di loro?»
«Con uno.»
«Troppo poco. Forse è meglio se...»
«Signor Questore, mi sono convinto che ognuno dei suoi amanti mi farebbe di lei un ritratto diverso.»
«Ma credo, da quanto mi sta dicendo, che concorderebbero tutti nel dire che si tratta di una donna un po' troppo facile.»
«Ennò! Sarebbe un giudizio superficiale. Perché, vede, quella donna...»
«Che fa, Maurizi, si accalora? Non mi dica che si sta eccitando senza averla mai vista! Parliamo di cose serie. A che punto è l'indagine? Mi dica qualcosa per tenere buono il Ministro.»
«La Scientifica di Firenze ha lavorato benissimo. Io tre giorni fa gli ho fatto avere le impronte. Bene, oltre che all'interno dell'auto, le impronte della Garaudo si trovano numerose all'esterno, alla sinistra del lunotto posteriore. Quelle del lato destro appartengono invece a un uomo.»
«Ma che significa?»
«A mio avviso, significa che la signora si è fatta aiutare da un uomo per spingere la macchina giù dal ponte. Lo stesso uomo che poi le avrà dato un passaggio.»
«Allora viaggia con uno dei suoi tanti amanti!»

«Non è detto. Può essere stato un incontro occasionale.»

«Ma quest'uomo come si sarebbe lasciato convincere?»

«Non dimentichi che la signora è molto bella. E ha una ingente cifra con sé.»

«Però non capisco perché abbia messo su questa messinscena...»

«Per confondere le acque. Per far nascere altre supposizioni sulla sua scomparsa. Sta alzando, come si dice, un polverone.»

«E come me la spiega la lettera anonima?»

«Dal timbro postale sulla busta si ricava che è stata spedita da Padova sette giorni fa.»

«Da Padova?!»

«Infatti è singolare. La signora, sequestrata tra Firenze e Pisa, si troverebbe prigioniera a Padova. E a che scopo la terrebbero prigioniera? Non chiedono nemmeno il riscatto!»

«Quindi lei suppone si tratti di un'altra messinscena?»

«Ne sono certo. Per quanto non siano state trovate impronte della signora né sul foglio né sulla busta.»

«Ma che senso ha questo suo girettare per l'Italia?»

«Se riuscissimo a capirlo, avremmo la spiegazione di tutto. Ed è proprio quello che sto cercando di fare.»

«È meglio se il Ministro non dice a Todini quello che lei mi ha riferito. L'insensibilità di quella donna verso il suo dolore, il suo patimento, sarebbe una ferita mortale. Che bella carogna di donna!»

«Mi scusi, signor Questore, anche questo è un giudizio superficiale.»

«Ma lei si sta proprio inguaiando, eh, Maurizi?»

18 e 19 giugno 2010

(ANSA) 18-6-10 - Oggi pomeriggio un extracomunitario sudanese, Awan Wafari, residente nell'isola di Murano (Venezia), recatosi a pescare, ha preso all'amo una borsetta da donna che, con tutta evidenza, si trovava in acqua da non molto tempo. Apertala e visto che all'interno, oltre a un rossetto e a un fazzoletto, c'erano un borsellino con 500 euro e una patente di guida protetta da una bustina di cellophane, ha ritenuto suo dovere consegnare il tutto alla Polizia, malgrado fosse sprovvisto di permesso di soggiorno.

(ANSA) 18-6-10 - Il ritrovamento a Murano della borsetta femminile da parte dell'extracomunitario Awan Wafari ha avuto un risvolto clamoroso. La patente appartiene a Laura Garaudo, moglie del noto scrittore Mattia Todini, scomparsa da Roma due settimane fa.

(ANSA) 19-6-10 - La Polizia ha inviato all'alba due sub a Murano sul luogo del ritrovamento della borsetta di Laura Garaudo perché non si esclude che nelle vicinanze possa trovarsi il corpo della donna. Ma le correnti potrebbero averlo già portato al largo. Sembra concludersi tragicamente la misteriosa sparizione della donna che, secondo le tracce finora ritrovate, potrebbe essere stata sequestrata da ignoti tra Firenze e Pisa, tenuta prigioniera a Padova e infine uccisa a Murano.

(ANSA) 19-6-10 - Le ricerche del corpo di Laura Garaudo non hanno dato alcun esito.

20 giugno 2010

«Maurizi?»

«Sì?»

«Sono Zanardelli.»

«Ciao. Hai novità per me?»

«Sì. La notte tra il 16 e il 17 la signora Laura Garaudo ha dormito all'Hotel Laguna di Venezia.»

«Era sola?»

«Sola.»

«Come stava?»

«Guarda, ho parlato io stesso col personale dell'albergo. Stava benissimo.»

«Che bagaglio aveva?»

«Una valigia media e un borsone.»

«Altro?»

«Sì. Prima di ripartire ha fatto spedire un pacchetto, qualcosa che aveva comprato qui a Venezia, un pacco già confezionato sopra il quale c'era scritto: FRAGILISSIMO.»

«Ricordano l'indirizzo del destinatario?»

«Tu pretendi troppo.»

20 giugno 2010

«Caro signor Todini! Che piacere rivederla! Quando l'hanno dimessa?»

«Alla fine della scorsa settimana. Ma sa, tornare a casa senza Laura... Certo, non supponevo di ritrovarmela qua ad aspettarmi, ma... Mi bastava sapere che stava nel suo studio a scrivere perché tutta la casa diventasse una cosa viva, calda...»

«Comprendo...»

«No, mi perdoni, non può capire. Sono cose che se non si provano sulla propria pelle, e magari si trattasse solo di epidermide, non si possono capire.»

«Ma mi dica, come sta?»

«Molto meglio, commissario. Grazie. Sto lentamente rinascendo dalle mie ceneri come la fenice. Perché a un tratto... a un tratto tutto è cambiato. Grazie a Laura.»

«Come? Grazie a...»

«Capisco il suo stupore. Tra poco sarò più chiaro. Intanto si accomodi. La ringrazio di cuore di essere stato così cortese da venire appena l'ho chiamata.»

«Ma si figuri!»

«Volevo dirle che sono stato informato nei dettagli anche del ritrovamento della borsetta con dentro la sua patente e della probabilità che sia rimasta vittima di...»

«Mi dispiace che neppure questo le sia stato risparmiato...»

«... Invece i suoi colleghi in Questura mi hanno raccontato tutto. Con molta cautela, naturalmente. E hanno fatto bene. Ignoravano l'effetto che le loro parole avevano su di me.»

«Senta, signor Todini. Credo sia venuto il momento di non nasconderle più nulla.»

«Ci sono stati altri... ritrovamenti?»

«No. Ma voglio essere sincero con lei, anche se le mie parole possono ferire i suoi sentimenti.»

«Dica pure. Tanto, ormai...»

«Io sono del parere che la macchina precipitata, la lettera anonima e la borsetta con la patente siano un depistaggio, una messinscena creata a bella posta per...»

«Creata da chi?»

«Dalla sua signora.»

«A che scopo?»

«Un po' per rendere ancora più torbide le acque e un po' per metterci su false piste.»

«Che vantaggio ne avrebbe?»

«Facendo sospettare una sua fine tragica, la signora, che sa benissimo che noi la stiamo ricercando, pensa di acquistare maggiore libertà di movimento.»

«Tutto sommato, mettendosi dal suo punto di vista potrebbe anche avere ragione.»

«Lei ne ha un altro?»

«Sì, io la cosa la vedo diversamente, sotto un'altra luce. Del tutto opposta alla sua.»

«Sarebbe?»
«Sarebbe che si sta sbagliando.»
«Via, signor Todini! Ma come fa a non vedere quant'è infantile questa messinscena!»
«No, no, sono perfettamente d'accordo con lei che si tratti di una messinscena di Laura.»
«E allora?»
«Le spiego. La macchina, la lettera anonima, la borsetta, sono messaggi, dottore. Messaggi criptati, se vuole, ma messaggi. Come se inviasse cartoline postali.»
«A chi?»
«A me.»
«E che cosa dicono questi... messaggi?»
«Dicono che è viva e che mi pensa.»
«Ma...»
«E mi invita a non addolorarmi, ma anzi a condividere la sua... emozione. O la sua tensione. O il suo piacere. O quello che è.»
«Non riesco ad afferrare bene...»
«Vede, Laura non mi ha mai escluso da sé, mai. Era il suo modo di amarmi. Tutto particolare, l'ammetto. Mi è molto difficile parlarne... Fin dai primi giorni del nostro matrimonio si stabilì tra di noi una sorta di complicità, come succede alle coppie sposate da molti anni. Il mio studio è pieno di regalini suoi che mi consegnava con un sorrisetto appunto di complicità...»
«Continuo a non...»
«Mi costa molto chiarire. Perché parlandone con un estraneo tutto rischia di apparire sotto una luce sbagliata, persino volgare, persino tragicomica se vuole... Mi sto

confidando da uomo a uomo. Quello che le dico se lo tenga per sé.»

«Glielo prometto.»

«Ecco, il giorno in cui capii che era stata... felice con un ufficiale dei Carabinieri che avevamo conosciuto giorni prima a un ricevimento, fu quando, tornando a casa, mi regalò una statuetta di vetro che rappresentava per l'appunto un carabiniere... Dio mio, detta così la cosa potrebbe apparire meschina... invece era amore. Capisce? No, non può. Sono ridicolo, vero?»

«No, non ci trovo niente di ridicolo.»

«E appena mi è stato chiaro che si trattava di messaggi per me, mi sono sentito meglio.»

«Mi spiega ora come ha fatto a capire che si trattava di messaggi indirizzati a lei?»

«Quando la sua macchina è precipitata dal ponte stava dirigendosi verso Pisa, vero?»

«Così sembra.»

«E la falsa lettera anonima è stata spedita da Padova?»

«Sì.»

«Vede, dottore, mi capita spesso di presentare i miei libri o di partecipare a manifestazioni culturali in varie città d'Italia. Mi sarebbe tanto piaciuto averla al mio fianco in quelle occasioni, ma Laura non è mai voluta venire con me.»

«Perché?»

«Non voleva che si pensasse che sfruttava la mia popolarità per... E pensare che sono arrivati all'infamia di scrivere sui giornali che la sua scomparsa è una trovata pubblicitaria... lasciamo perdere. Ha fatto solo tre eccezioni.»

«Pisa, Padova e Murano?»

«Bravo commissario! Ha quasi indovinato.»

«Quasi?»

«Sì. Perché l'ultima volta io ho avuto un incontro coi miei lettori a Venezia, ma lei come al solito non ha partecipato, mi ha detto che avrebbe preso un vaporetto e sarebbe andata a Murano.»

«A fare che?»

«Non lo so. Del resto anche a Pisa e a Padova aveva fatto lo stesso, se n'era andata in giro.»

«Signor Todini, se le cose stanno così...»

«Stanno così.»

«... non posso che essere contento per lei. Arrivati a questo punto, vuole che interrompiamo l'indagine?»

«No, questo no. Vada avanti, continui, ma con la massima cautela, mi raccomando. Non vorrei che sentendosi... inseguita, braccata, si spaventasse e...»

«Signor Todini, io sto usando la massima cautela. Altro che braccare! Mi muovo con estrema discrezione. E questo rallenta molto la ricerca. Mi basterebbe allertare le Questure e gli aeroporti e la signora, ne sono certo, in ventiquattr'ore sarebbe individuata e fermata. Sua moglie, lo tenga presente, non viaggia con documenti falsi, ogni volta dichiara la sua vera identità. E poi, mi pare di averglielo già detto, a che titolo potremmo fermarla? Come possiamo impedire che una donna maggiorenne viaggi per l'Italia coi suoi soldi? Tanto più che non ha da dare conto a nessuno se non a lei. Lasci che glielo dica, signor Todini, ma lei ha sbagliato rivolgendosi a noi.»

«E a chi avrei dovuto rivolgermi?»

«A un investigatore privato.»
«Non l'avrei mai fatto.»
«Perché?»
«Mi sarebbe parso d'immeschinire tutta la vicenda, riducendola a una banale storia di tradimenti e fughe.»
«Capisco.»
«Ah, sa una cosa? Ho telefonato alla Libreria Aurora e mi sono fatto mandare il libro che Laura aveva ordinato. Mi hanno detto che siccome risultava esaurito ha fatto il diavolo a quattro per averlo il prima possibile. Poi, quando finalmente gliel'hanno trovato, lei... era andata via.»
«Che libro è?»
«Un lavoro teatrale di Eliot, *Cocktail Party*. L'aveva chiesto anche a me, ma io non ce l'ho, non amo Eliot. Una volta da giovane gli ho anche parlato, era molto antipatico. Si figuri che...»
«Le ha spiegato il motivo del suo interesse?»
«No, ma mi ricordo che l'anno scorso andò a vederlo messo in scena da una compagnia di dilettanti alla quale partecipava il fratello di Giulia, la sua amica. Quando tornò a casa, mi disse che la commedia l'aveva profondamente turbata. Soprattutto era stato un personaggio femminile che... Di certo Giulia potrebbe dirle di più, anche se la cosa non mi pare importante. Laura aveva spesso di queste... impuntature. A proposito, ha parlato con Giulia?»
«Non ancora, ma lo farò.»
«Guardi che Giulia sa molte cose di Laura... se riuscisse a farla parlare...»
«Mi ci proverò. Sua moglie andava spesso a teatro?»
«Sì.»

«Aveva autori preferiti?»

«Non aveva preferenze particolari. A teatro andava soprattutto perché era interessata all'attore.»

«A chi?»

«No, non mi riferivo a un attore specifico. Era affascinata dall'arte dell'attore. Dalla sua capacità di diventare un altro da sé. E non solo esteriormente. Quando ne parlava, si... elettrizzava, era come se l'invidiasse.»

«Ha mai provato a recitare?»

«Mi raccontò che una volta, che ancora frequentava il liceo, si era lasciata convincere da un compagno e ci aveva provato, ma che era stato un fallimento.»

«In che senso?»

«Mi pare che mi disse che tutto il suo corpo si era rifiutato di sentirsi diverso da com'era, l'aveva ancorata, usò proprio questa parola, al suo essere. Si era rifiutato ostinatamente alla trasfigurazione, disse così.»

«Frequentava centri di bellezza, si curava molto?»

«Se è per questo, il minimo indispensabile. Anche perché non ne aveva bisogno. Ma curava molto il suo corpo. Credo che l'amasse. Ogni tanto le scappava di dire: "Quant'è bello essere donna!". Non si poteva certo definire una femminista. Solo quando le veniva il ghibli si trascurava un pochino.»

«Può anche non rispondere a questa domanda. Sua moglie, che lei sappia, è mai stata in analisi?»

«Che io sappia, no. Però ha avuto per molto tempo un amico psicanalista. Franco Giuliani. Con lui parlava a lungo, ma non credo che si trattasse di vere e proprie sedute.»

«Mi può dare i suoi recapiti?»

«Non li ho. So però che da due anni si è trasferito a Milano, dove esercita. Non le sarà difficile rintracciarlo.»

«Un'ultima cosa, signor Todini. Può prestarmi la commedia di Eliot? Gliela restituirò tra qualche giorno.»

21 giugno 2010

«Dottor Maurizi? Sono l'avvocato Doria.»

«Mi dica, avvocato.»

«Solo per comunicarle che ieri l'appartamento di Laura è stato venduto.»

«Ah, bene.»

«Un buon prezzo. Quattrocentoventimila euro. Ho depositato il denaro in banca sul mio conto.»

«Si è fatto vivo qualcuno?»

«Al momento, nessuno. Ma si faranno vivi prima o poi.»

«Non ci resta che attendere.»

«Ha visto Todini in questi giorni?»

«Sì.»

«Come l'ha trovato?»

«Che vuole che le dica? Mi ha chiamato apposta per espormi una sua più che discutibile teoria sui...»

«... sui messaggi che Laura gli starebbe inviando?»

«Sì.»

«Anche a me ne ha parlato. Poveraccio, ormai è molto confuso. Mentre mi esponeva il suo delirio, aveva un sorriso spiritato sulla faccia. Io non ho voluto disilluderlo, se lui si è fatto questa convinzione, se lo fa stare tranquillo...»

«Ha fatto bene.»

«Le volevo anche dire che, prima di cedere l'appartamento all'acquirente, ho preso tutte le cose che Laura vi aveva lasciato dentro e le ho portate a casa mia.»

«Perché?»

«Così. Non mi piaceva che andassero a finire nella spazzatura. C'era effettivamente poca roba, qualche vestito, due paia di scarpe ma molti libri.»

«Niente di scritto da lei?»

«Sì. Dentro un libro c'erano tre fogli ripiegati e datati. Due appartengono a un'appassionata lettera interrotta e forse non spedita a un tale Wilson.»

«Una lettera d'amore?»

«No, è chiaro che non scrive a un suo amante.»

«È in italiano?»

«Sì.»

«La signora non gliene ha mai parlato, di questo Wilson?»

«No, mai. E questo è molto strano. Eppure dalla lettera appare come una persona molto importante per Laura.»

«E l'altro foglio?»

«Nell'altro foglio c'è un appunto.»

«Sono cose recenti?»

«Di quest'anno.»

«Pensa che possano interessarmi?»

«Direi proprio di sì.»

«Me ne manda una fotocopia?»

«Non c'è problema.»

«E soprattutto m'avverta non appena qualcuno si presenterà per ritirare il denaro della vendita dell'appartamento.»

10 gennaio 2010

Roma, 10 gennaio 2010

Wilson caro,

quello che è successo tra noi due ha del miracoloso. E tieni presente che io non so che definirlo così pur non credendo ai miracoli.

Mia madre mi raccontava che, quand'ero piccola, per anni l'ho assillata con la richiesta di farmi un fratellino "vero".

Mamma s'arrabbiava molto e talvolta mi puniva perché in realtà un fratello di un anno e mezzo più grande ce l'avevo, ma io chissà perché non lo consideravo tale. Forse perché si rifiutava di giocare con me o di ascoltare le storie che mi frullavano in testa e che volevo confidargli.

Si chiamava Paolo ed è morto che non aveva nemmeno vent'anni.

Ho conosciuto molti uomini, amanti più o meno fuggevoli, amici, ma tra loro non sono riuscita a trovare il mio fratello "vero".

Non sono mai riuscita a colmare questo vuoto, quest'assenza che stranamente, col passare degli anni, invece di pesarmi di meno diventava come una ferita mai rimarginata.

Poi sei apparso tu. E proprio nel momento più critico della mia vita. Sai, quando andavo al ginnasio, il mio insegnante di religione diceva che l'angelo custode non ha mai l'aspetto di un angelo con tanto di ali e aureola, ma assume le vesti più consuete, quelle di una vecchia zia, di un mendicante, di una persona incontrata per caso...

Dopo nemmeno mezzora che ti conoscevo, ti è bastato pronunziare il mio nome con la stessa precisa intonazione di mio padre o del povero Giacomo perché dentro di me sentissi sciogliersi di colpo un nodo creduto fino a un momento prima inestricabile.

Ho cominciato a parlarti di me come mai avevo fatto con nessun altro uomo. E avvertivo che ogni mia parola arrivava a te col suo senso più profondo e autentico.

Tu mi hai ascoltata con tutto te stesso, mi hai capita così tanto da potermi lasciare intravvedere una possibile via d'uscita, una lontana, anche se difficile, soluzione. Una soluzione radicale per la quale occorre molto coraggio da parte mia.

E nei nostri incontri successivi, avendo compreso la mia paura, o meglio il mio senso d'inadeguatezza, sei stato fraternamente comprensivo ma, nello stesso tempo, determinato a spingermi su quella strada che mi spaventa proprio perché, una volta imboccata, non consente più la possibilità di un ritorno.

Ora mi sento pronta.

E non finirò mai d'esserti grata per avermi avviata sulla via della guarigione, della salvezza.

Avrò bisogno di un po' di tempo ma la decisione è ormai presa.

Sto preparando accuratamente un piano per il quale a un certo momento avrò bisogno del tuo aiuto. Si tratta di questo. Io farò in modo che

15 maggio 2010

(da mandare a Wilson)

Ma prima le devo dire che io vorrei *veramente*
pensare che qualcosa non va in me,
perché se non è così allora c'è qualcosa
nel mondo stesso che non va, o almeno che appare
molto diverso da come sembrerebbe essere.
E ciò sarebbe terribile.
Per questo preferirei credere che c'è in me
qualcosa che non funziona e si potrebbe curare...

Come continua?
Ritrovare assolutamente il libro

15 maggio 2010

22 giugno 2010

«Dottor Maurizi, buongiorno. Sono Marco Ghiberti. La ringrazio d'avermi ricevuto.»

«Al telefono mi ha detto che sa qualcosa sulla sparizione della signora Garaudo. Perciò...»

«Infatti eccomi qua. Ma le confesso che ho esitato a lungo prima di chiamarla.»

«Perché?»

«Non voglio fare da spalla a Laura. Ai suoi raggiri, ai suoi secondi fini. È una donna che non fa niente che non sia il risultato di un calcolo. Pensavo che venendo qua avrei fatto il suo gioco.»

«Poi si è convinto del contrario?»

«Tutt'altro.»

«E allora?»

«Tutto considerato alla fine ha avuto la meglio, come dire, il mio senso civico.»

«Bene, mi dica.»

«Ho la prova che Laura è viva.»

«In che cosa consiste?»

«È dentro questo pachetto speditomi da lei qualche giorno fa da Venezia. Eccolo qua.»

«Che cosa contiene?»

«Glielo apro. Guardi.»

«Che bella! È una rosa del deserto.»

«Appunto.»

«È un bell'esemplare. Ma come fa a sapere che è stata proprio la signora Garaudo a...»

«C'era un bigliettino.»

«Firmato?»

«No.»

«Ha riconosciuto la grafia?»

«È scritto in stampatello.»

«Me lo faccia vedere.»

«Prima è necessario che le racconti i precedenti. Sette anni fa ho iniziato una storia con Laura. Che è continuata anche dopo il suo fidanzamento con Todini. Ero molto preso, anche se sapevo che era bugiarda, infida, che frequentava altri uomini. Ma non riuscivo a fare a meno di lei. Sa, ci sono donne che...»

«Continui, per favore.»

«Mi scusi. Ai primi di marzo del 2005 ricevetti una sua lettera nella quale mi diceva che avendo deciso di sposarsi con Todini intendeva interrompere la nostra relazione. Capii che non si trattava di scrupoli morali, che del resto non aveva mai avuto, Laura nemmeno sa che significa la parola "morale", ma di un pretesto per sbarazzarsi di me. Così le telefonai e le spiattellai fino in fondo tutto il male che da tempo e sinceramente andavo pensando di lei.»

«Non capisco cosa...»

«Ci arrivo, mi scusi. Laura ogni tanto dichiarava che aveva il ghibli. Le spiego.»

«So di che sta parlando. Me l'ha raccontato Todini.»

«Meglio così. Allora io le dissi che il ghibli soffiava su di lei perché lei era il deserto, un deserto arido sul quale non era possibile attecchisse alcuna forma di sentimento. Cosa che continuo a pensare ancora oggi. Guardi come sta facendo soffrire il povero Todini, reo solo di averla sposata. Laura è come il cane che morde la mano di chi gli sta dando un tozzo di pane. Comunque, ci siamo lasciati così. Ma lei non ha evidentemente dimenticato queste mie parole. Devono avere colpito nel segno.»

«Perché?»

«Eccole il bigliettino che ho trovato nel pacco.»

«"Sono figlia del vento e del deserto. E questa rosa non morirà mai." Chiarissimo.»

«Lei lo trova chiaro?»

«Sì e mi riferisco al fatto che la signora è viva. Questo biglietto sta a significare che non ha nessuna intenzione di togliersi la vita.»

«Bene, se lo dice lei. Allora io la saluto e...»

«Guardi che sta dimenticando il pacco e il biglietto.»

«No, grazie, glieli lascio. Non voglio avere nessuna cosa di lei. Se non le interessano per l'indagine, li butti pure nella spazzatura.»

23 giugno 2010

Franco Giuliani
Psicanalista
Corso Buenos Aires 30, Milano

Milano, 21 giugno 2010

Gentile dottor Maurizi,

mi affretto a rispondere alla sua telefonata, cercando di portare il mio modesto contributo all'indagine che sta svolgendo sulla scomparsa della mia carissima amica Laura Garaudo.

Se le parlerò liberamente di lei è solo perché Laura non è mai stata una mia paziente, quindi mi ritengo sciolto dall'obbligo della riservatezza professionale.

Temevo che un giorno o l'altro Laura avrebbe fatto qualcosa di simile. Dentro di sé da troppo tempo covava un'irrequietezza incontrollabile.

E certamente un marito come Todini, innamorato sì ma assolutamente inadeguato alle necessità di Laura, non avrà fatto altro che aggravare la sua crisi sempre meno latente e farla infine precipitare.

Perciò seguo con molta apprensione le notizie che i giornali vanno via via pubblicando e non le nascondo che la mia preoccupazione cresce ogni giorno di più.

Perché Laura, secondo me, è veramente capace di un gesto estremo che potrebbe sorprenderci tutti.

Non creda che stia esagerando.

La conosco troppo bene, anche se tra noi non c'è mai stata nessuna intimità di tipo sessuale.

Non sto a bella posta adoperando un linguaggio scientifico proprio per essere il più chiaro possibile.

Il quadro che mi sono fatto è questo. Nella complessa personalità di Laura si alternano e si combattono senza tregua e senza remissione due impulsi interiori contrastanti e di eguale forza.

Il primo è una sorta di incessante ricerca dell'estasi verso il basso, esplicata attraverso una serie d'incontri indiscriminati, tanto più esaltanti quanto più avvilenti.

Il secondo si direziona in senso opposto, verso l'alto, ed è una più o meno conscia pulsione d'assoluto.

È una miscela potenzialmente distruttiva. Soprattutto in una persona di dolorante ma cocciutamente celata sensibilità come Laura.

Voglio spiegarmi meglio.

Ho visto piangere Laura. Poteva piangere per un bambino povero che le chiedeva l'elemosina, poteva piangere di rabbia, di gioia, ma le sue lacrime erano, come dire, superficiali, erano un liquido che le colava dagli occhi.

Ma se era davvero offesa o duramente colpita allora non piangeva. Gli occhi le restavano asciutti. A guardarla bene, solo qualche tratto del suo viso si modificava. Sembrava accettare passivamente oppure assumeva un'aria indifferente. Ma piangeva disperatamente, glielo posso assicurare, dentro di sé.

Io più volte mi sono messo a sua disposizione, ma lei, con molta gentilezza, mi ha rifiutato.

Un giorno le ho domandato il perché, mi ha risposto che a lei avrebbe giovato, e molto, se fosse andata in cura dal dottor Reilly. Non ho replicato. Non ho capito a chi si riferisse.

Se un consiglio mi è concesso di darle, gentile dottore, è questo: per carità, faccia presto a ritrovarla.

Temo che Laura abbia preso la decisione di scomparire per sempre.

E penso al peggio.

Perciò le formulo i miei migliori auguri di buon lavoro.

Franco Giuliani

24 giugno 2010

«Pronto, Maurizi?»

«Mi dica, signor Questore.»

«Ha sentito la bella notizia?»

«No. Quale?»

«La scomparsa della Todini è diventata un caso internazionale.»

«Ma no!»

«Sì, purtroppo.»

«Ma che è successo?»

«È successo che un giornalista tedesco è andato a intervistare Todini, che a quanto pare è popolarissimo in Germania.»

«E allora?»

«Il giornalista si è reso conto che Todini straparlava e ha dato la colpa a noi.»

«Non ho capito.»

«Maurizi, che fa, dorme? 'Sto stronzo di giornalista ha scritto che se Todini è ridotto in queste condizioni è perché noi, a venti giorni dalla sparizione, non riusciamo a cavare un ragno dal buco. Ci accusa di inefficienza, ha capito?»

«Adesso sì.»

«O benedetto Iddio! Allora le domando: ha qualcosa da dirmi?»

«Qualcosa l'avrei.»

«E parli, Cristo! Devo adoperare le tenaglie? Che ha in mano?»

«Ho la prova che la signora Garaudo non si è gettata e non è stata gettata a mare a Murano.»

«E che è 'sta prova?»

«Una rosa del deserto.»

«Ma che cazzo dice?»

«Mi scusi. La rosa era contenuta in un pacco spedito da Venezia dalla signora Garaudo dopo essere stata a Murano.»

«Questa è una buona notizia, finalmente. Senta, venga nel mio ufficio e mi spieghi tutto. Mi sono rotto le scatole di questa storia. Oggi pomeriggio faccio una conferenza stampa e rimetto le cose a posto. Naturalmente parteciperà anche lei ma mi farà il favore di starsene zitto.»

25 giugno 2010

IL MESSAGGERO

LA CONFERENZA STAMPA
DEL QUESTORE DI ROMA
SULLA SCOMPARSA DI LAURA GARAUDO

Roma.- Ieri pomeriggio il Questore di Roma, dott. Filippo Valenzi, ha tenuto una conferenza stampa per fare il punto sulle indagini in corso per la scomparsa di Laura Garaudo, moglie del noto romanziere Mattia Todini. Il Questore ha tenuto a smentire quanto apparso su un giornale tedesco che accusava la Polizia di non aver dedicato al caso Garaudo l'attenzione che esso merita. Il Questore, affiancato dal dottor Maurizi, responsabile dell'indagine, ha rivelato che è stato comprovato che la macchina della Garaudo è accidentalmente precipitata dal ponte di una via secondaria Firenze-Pisa e che la donna è rimasta fortunatamente illesa. Circa la lettera anonima che annunziava il sequestro della Garaudo da parte di ignoti, il Questore ha precisato che essa è da considerarsi non autentica, uno scherzo di pessimo gusto ai danni del povero marito. Infine ha chiarito che la borsetta della Garaudo trovata a Murano deve essere caduta in acqua durante una gita della donna.

In conclusione, ha affermato il Questore, dietro la scomparsa della Garaudo non si cela nessun mistero. La signora si è volontariamente allontanata da casa per una pausa di riflessione, gode di ottima salute ed è riuscita anche a mettersi in contatto col marito per rassicurarlo. Il Questore ha anche raccontato che un conoscente della Garaudo si è spontaneamente presentato in Questura esibendo un souvenir speditogli da Venezia dalla signora in data immediatamente successiva al suo passaggio da Murano.

Il Questore ha concluso che a questo punto l'indagine è da considerarsi formalmente chiusa.

Ma noi ci chiediamo se, per il rispetto e la considerazione dovuti a una celebrità come Mattia Todini, la Polizia non continuerà, con la dovuta discrezione, a seguire a distanza gli spostamenti della signora Garaudo.

25 giugno 2010

«Pronto? La signora Giulia Maltese?»

«Sono io. Chi parla?»

«Il commissario Maurizi.»

«Finalmente!»

«Perché?»

«Ce ne ha messo di tempo a chiamarmi!»

«Ho voluto prima cercare di sapere quanto più possibile sulla signora Garaudo per non doverla sovraccaricare di domande.»

«Mi avevano detto che lei era un bravo poliziotto, non che fosse anche un abile diplomatico. Chi le ha dato questo numero?»

«Il signor Todini. Perché?»

«Ho due cellulari. Questo era riservato a Laura. Quando l'ho sentito squillare ho avuto un tuffo al cuore.»

«Mi perdoni, non sapevo. Quindi lei non ha più avuto notizie della sua amica?»

«No. E non le sto mentendo.»

«Le credo. Vorrei incontrarla, signora.»

«Anch'io.»

«Potrebbe venire oggi pomeriggio verso le...»
«Commissario, non mi trovo a Roma, sono a Milano.»
«Quando rientra?»
«Potrei essere da lei domani pomeriggio.»
«Le va bene alle sedici?»
«Va bene.»
«Posso farle due domande?»
«Ma certo.»
«Che sa dirmi di un certo Wilson?»
«Non capisco.»
«Si tratta di uno al quale la signora Garaudo ha scritto una lettera che ritengo importante per l'indagine.»
«Mai sentito questo nome. A quando risale la lettera?»
«Al 10 gennaio di quest'anno.»
«Che strano! Non mi ha mai parlato di questo Wilson. Si capisce che tipo di rapporti aveva con lui?»
«Molto stretti, ma non erano amanti.»
«Non so che dirle. Rimango senza parole.»
«Un'ultima domanda. Lei conosce il signor Franco Giuliani?»
«Lui sì!»
«Giuliani mi ha scritto che la signora Garaudo non voleva andare in analisi da lui perché non era all'altezza del dottor Reilly. Giuliani non sa chi sia questo dottore. E lei?»
«Nemmeno... no... aspetti un momento... sì... ecco... ci sono... Sir Henry Harcourt-Reilly!»
«Lo conosce?»
«Sì, ma non esiste.»
«Che significa?»
«Che è un personaggio di una commedia di Eliot, *Cocktail*

Party, che Laura e io siamo andate a vedere qualche tempo fa. Reilly era una specie di psichiatra e curatore d'anime al quale si rivolgeva per avere aiuto un altro personaggio, Celia, da cui Laura è rimasta letteralmente affascinata.»

«La ringrazio per la sua cortesia.»

«A domani, commissario.»

da *Cocktail Party* di T.S. Eliot.

REILLY: Per il momento so di lei quanto basta.
Cerchi di descrivere il suo attuale stato d'animo.
CELIA: Beh, ci sono due cose che non riesco a capire,
che forse lei può considerare sintomi.
Ma prima le devo dire che io vorrei...

E qui Celia dice quanto scritto nell'appunto che la Garaudo voleva inviare a Wilson.
Il seguito che non ricorda è questo:

CELIA: [...] Farò ogni cosa che lei mi dirà per tornare alla normalità.
REILLY: [...] Ha detto due cose: qual è la prima?
CELIA: Una consapevolezza di solitudine. [...]
Voglio dire che ciò che mi è capitato
mi ha reso cosciente di essere sempre stata sola.
Che uno è sempre solo.
Non semplicemente la fine di una relazione.

Nemmeno semplicemente la scoperta che non è mai esistita,
ma una rivelazione del mio rapporto con *tutti.*
E sa, pare non valga più la pena di *parlare* con nessuno...
[...]
REILLY: [...] E il secondo sintomo?
CELIA: Questo è ancora più strano.
Sembra ridicolo, ma la sola parola che so trovare
per definirlo è un senso di peccato.
REILLY: Lei soffre di senso di peccato, Miss Coplestone?
Questo è davvero insolito.
[...]
Mi dica che cosa intende con senso di peccato.
CELIA: È molto più facile dirle ciò che non intendo:
non intendo peccato in senso comune.
REILLY: E qual è, secondo lei, il senso comune?
CELIA: Beh... credo voglia dire essere immorale...
e non rendersi conto d'esserlo:
in effetti non definiamo immorali le persone
che consideriamo prive di senso morale?
Non ho mai notato che l'immoralità
fosse accompagnata dal senso del peccato,
o almeno non mi è mai capitato di vederlo.
Credo sia crudele fare del male agli altri.
Se si è consapevoli di farlo.
[...]
Adesso vedo che è stato tutto un errore.
Ma non vedo perché gli errori dovrebbero
farci provare un senso di peccato!
[...]

Non è la sensazione di qualcosa che io mai abbia *fatto*,
da cui potrei fuggire, o qualcosa
dentro di me da cui fosse possibile sbarazzarmi,
ma di vuoto, di fallimento verso qualcuno,
o qualcosa, al di fuori di me...
[...]
Non che io abbia paura di essere ancora ferita:
niente può ormai ferirmi o sanarmi.
Ho pensato a volte che l'estasi sia reale
anche se non ha realtà chi la prova.
Perché ciò che è accaduto perdura come un sogno
in cui si è esaltati dall'intensità dell'amore
nello spirito, vibrazione di gioia
senza desiderio, perché il desiderio è colmato
nella gioia d'amare. Uno stato ignoto al risveglio.
Ma che cosa, o chi, ho amato,
o che cosa in me stava amando, io non lo so.
E se tutto questo è senza senso io voglio guarire
dalla fame di qualcosa che non posso trovare,
e dalla vergogna di non trovarlo.
Lei può guarirmi?

REILLY: È una situazione curabile.
Ma il tipo di terapia deve sceglierlo lei:
non posso decidere io al suo posto.
Se è quello che lei vuole,
io posso riconciliarla con la condizione umana.

26 giugno 2010

«Signor Todini, mi perdoni se vengo a disturbarla, ma credo di essere giunto a una svolta dell'indagine.»

«Sa dove si trova Laura?»

«Assolutamente no. E non credo, a questo punto, che sia nemmeno interessante.»

«Questo lo dice lei, caro commissario.»

«Credo sia più importante, anche per lei, tentare di capire il motivo del suo allontanamento.»

«Be', sì.»

«Sto arrivando alla conclusione che dietro la fuga della signora ci sia un uomo.»

«Ma come?! Un nuovo amante? Ma se mi ha sempre detto che non c'era nessun uomo!»

«No, non un amante.»

«E allora?»

«Una sorta di... non so come definirlo... padre spirituale.»

«Non mi venga a dire che un prete...»

«Non credo si tratti di un prete. È un uomo che la signora deve avere conosciuto verso la fine dell'anno scorso, non so in che occasione, e al quale si è molto legata.»

«Non penso che potrò esserle utile. Laura non mi ha mai parlato di questa sua conoscenza. Lei sa come si chiama?»

«So solo il nome. Wilson.»

«No, proprio non... aspetti un momento, mi lasci pensare... verso la fine dell'anno scorso, ha detto?»

«Sì.»

«Allora forse è la stessa persona che... A metà novembre dell'anno scorso venni invitato all'Ambasciata brasiliana per festeggiare un loro scrittore di passaggio... Laura mi accompagnò. Ecco, sono quasi sicuro che ci presentarono lì un certo Wilson Peixoto. Ricordo che scambiai qualche parola con lui per via del suo cognome.»

«Che aveva di particolare?»

«Sa, c'è stato un tempo in cui mi sono molto occupato del cinema e della sua storia... Bene, alle origini della cinematografia brasiliana c'è un film leggendario, un capolavoro a lungo scomparso, *Limite* di Mário Peixoto. Gli chiesi se era un discendente, non lo era.»

«Era venuto al seguito dello scrittore?»

«Non credo.»

«Faceva parte del personale dell'Ambasciata?»

«Non credo nemmeno questo. Penso fosse un invitato come me. Ma...»

«Ma...»

«I brasiliani lo trattavano con molto rispetto. Anche l'Ambasciatore.»

«Fisicamente com'era?»

«Un sessantenne alto, magro, elegantissimo, una gran chioma di capelli candidi, molto scuro di pelle... quel tipo d'uomo che le donne trovano affascinante.»

«Un mulatto?»

«No, era arrostito dal sole.»

«Sua moglie parlò con lui?»

«Certamente sì. Vede, poco dopo venne a chiamarmi l'Ambasciatore per presentarmi a questo scrittore e loro due restarono a chiacchierare. Andò a finire che Laura la rividi tre ore dopo, al termine del ricevimento.»

«A casa le parlò di questo Wilson?»

«No, per niente.»

26 giugno 2010

«Vuole che cominci dalla preistoria?»

«Se lo crede...»

«Alle elementari, Laura e io eravamo le più carine della classe, al ginnasio lo stesso, al liceo ricevemmo una promozione, da le più carine a le più belle. In genere, tra le due più belle nasce una profonda antipatia reciproca, a noi due invece accadde il contrario. Nessuna rivalità, nessuna... anzi fummo immediatamente complici. Diventammo amiche indivisibili. Tanto da incontrarci almeno tre volte alla settimana.»

«Un bel record.»

«Sì. Siamo state separate solo cinque anni. Quattro quando Laura se ne andò a Bologna perché suo padre aveva degli affari là e uno quando purtroppo si trasferì a Livorno per seguire un cadetto di Marina di cui si era pazzamente innamorata. Noi due...»

«Mi scusi se l'interrompo. Mi è capitato di leggere una lettera di questo ufficiale... una lettera d'addio... e non ho capito bene... ma il figlio c'era o non c'era? E Laura ha veramente voluto abortire? Oppure si è trattato di una finzione?»

«Vedo che lei si è ben documentato. Non lo so, non sono in grado di risponderle. In quell'anno, come le ho detto...»

«Ma come?! A lei, la sua amica più cara, non ha mai parlato di una cosa tanto importante nella vita di una donna?»

«Me ne accennò quando finalmente tornammo a frequentarci, ma in modo volutamente equivoco e io non insistetti, pur avendo capito che quel fatto, comunque fosse andato, aveva assai profondamente inciso sulla sua vita.»

«Mi sembra molto strano che lei non abbia insistito per saperne qualcosa di più.»

«Commissario, Laura aveva momenti di una sincerità assoluta, spiazzante, addirittura brutale, ma aveva anche momenti nei quali letteralmente guazzava nella menzogna. A volte mentiva senza necessità, per il gusto di mentire. Chiederle la verità era come giocare ai dadi. Poteva darsi che te la diceva tutta, impudicamente, senza reticenze, la verità nuda e cruda, e poteva anche darsi invece che costruiva un fulmineo castello di menzogne tutte plausibili e facilmente spacciabili per verità. Se non voleva dire com'era andata davvero una certa faccenda, non c'era verso.»

«A lei diceva tutto?»

«Facciamo il novanta per cento. C'erano cose che Laura non spartiva con nessuno.»

«A lei ha confidato il suo progetto di fuga?»

«No.»

«Senta, signora Maltese, se lei cerca di proteggere la sua amica...»

«Non sto cercando di proteggerla. Non solo non me l'ha confidato, ma non me l'ha lasciato nemmeno sospettare. Forse pensava che avrei cercato di dissuaderla.»

«La signora l'avrebbe ascoltata?»
«Non so. Col passare degli anni io mi sono assunta un po' il ruolo di sorella maggiore. Ricorreva a me per uscire da certe situazioni ingarbugliate nelle quali si cacciava.»
«Situazioni sentimentali?»
«Chiamiamole così. Però, se devo essere sincera, sentivo che da tempo covava qualcosa.»
«Da quando?»
«Suppergiù dal settembre dell'anno scorso, quando ha finito di scrivere il romanzo.»
«Un momento. Quel famoso romanzo che diceva di star scrivendo, in realtà l'aveva già terminato l'anno scorso? E a tutti, marito compreso, ha continuato a far credere...»
«Esattamente.»
«Ma perché?»
«Perché dopo averlo finito e averlo riletto con un certo distacco, senza l'impulso della scrittura, ne ha avuto un senso di paura.»
«Paura di che?»
«Di se stessa.»
«Vuole spiegarmi per favore?»
«È quello che sto cercando di fare.»
«Lei l'ha letto?»
«Sì. Credo di essere stata l'unica persona a leggerlo.»
«Di che tratta?»
«È la storia di una donna d'oggi, dei suoi molteplici e svariati incontri amorosi, del suo disagio sentimentale che lentamente evolve in un disagio esistenziale... non è una storia inventata, è una sorta di autobiografia romanzata.»
«Come si conclude?»

«La protagonista muore in un incidente aereo.»

«Ma perché Laura Garaudo ne avrebbe paura?»

«Quando me l'ha dato a leggere, mi ha detto che si era accorta di avere scritto non un romanzo, ma un bilancio fallimentare, un consuntivo tutto in passivo, la storia di un girare a vuoto sempre più vorticosamente dentro un nulla immenso. Non sono le sue precise parole, però sono abbastanza simili. Credo che sia stato questo a farle paura. E così, quando gliel'ho restituito, l'ha bruciato.»

«Quindi questo romanzo non esiste più?»

«Che io sappia, no. Mi ha anche detto di aver cancellato il file dal computer. Ed è stato da allora che in Laura è avvenuto un mutamento.»

«In che senso?»

«Si è chiusa in se stessa, ha del tutto interrotto i rapporti con i suoi uomini... parafrasava Lorca, diceva che nei suoi incontri amorosi il corpo era sempre meno presente e l'anima sempre più assente... ha continuato a vedersi solo con un vecchio amante-amico, un avvocato... Insomma, per dirla banalmente, è entrata in crisi.»

«Le ha mai detto come sperava d'uscirne?»

«No. Me ne parlava poco.»

«Eppure ne deve aver parlato, e a lungo, con quel tale Wilson.»

«Ne ha parlato con lui?»

«Sì. E questo Wilson, a quanto pare, una certa soluzione gliel'ha lasciata intravvedere. Wilson le è apparso come la personificazione di quel dottor Reilly della commedia di Eliot.»

«Ma che mi dice?!»

«Credo sia stato proprio così.»

«Se le cose stanno come dice lei, questo Wilson può fare un gran male o un gran bene a Laura. Speriamo che non sia una sorta di stregone, di guru... oggi le mie coetanee non vanno cercando altro. Si fanno buddiste, induiste, taoiste... tutte fedi che non hanno il concetto lugubre di peccato... Perché non cerca di saperne di più su Wilson?»

«Lo sto facendo. Pare si tratti di un brasiliano, di cognome fa Peixoto. Le dice niente?»

«Niente.»

«La presenza della signora Garaudo è stata segnalata a Firenze, Pisa, Padova, Venezia, Murano. Secondo lei, sta girando a caso o segue un itinerario preciso?»

«Laura non fa mai niente a caso. Quindi non credo che stia cambiando la sua regola. Questo viaggio e queste tappe devono avere un senso. Lei cosa pensa?»

«La penso come lei. Ho l'impressione, ma così, a pelle, che sia una sorta di pellegrinaggio che prelude...»

«Un pellegrinaggio suggerito da Wilson?»

«Lo escluderei. Sono convinto che si tratti di un'iniziativa autonoma della signora. Una specie di rituale d'addio.»

«Ma da cosa? Non certo da luoghi che le sono cari... A questo proposito, posso dirle, con certezza, perché ne abbiamo qualche volta parlato, che Laura non è capace di affezionarsi a un luogo qualsiasi, anche se in quel luogo ha trascorso momenti felici. Di sé diceva ridendo, ma convinta, che se fosse stata una gatta non sarebbe stata un animale domestico, ma una gatta randagia.»

«Come mai allora si lasciò sposare da Todini?»

«Todini la incontrò in un momento di particolare sbandamento, stava affogando e salì sulla zattera che lui le offriva. Tra l'altro, essendo un uomo anziano, in parte sostituiva quel padre che Laura aveva amato e odiato. A modo suo, a Todini vuole bene. Ma non credo che sarebbe ancora durata a lungo. Anche se lui è un uomo discretissimo, innamorato, che le lasciava la massima libertà.»

«Quando è stata l'ultima volta che ha visto la sua amica?»

«Il pomerigio del giorno prima che...»

«Come la trovò?»

«Piuttosto su di giri.»

«Dunque il ghibli le era passato?»

«Sa pure degli attacchi di ghibli? Se è per questo l'ultimo ghibli non ce l'ha mai avuto.»

«Fingeva d'averlo?»

«Sì.»

«Perché?»

«Perché voleva isolarsi, non voleva vedere nessuno e inoltre, così facendo, teneva Mattia alla larga. Desiderava starsene a letto per pensare a se stessa. Non credo che, almeno negli ultimissimi giorni, abbia gradito nemmeno le mie visite. Stava attraversando un periodo di crisi, gliel'ho detto.»

«Di cosa avete parlato quel pomeriggio?»

«Da una settimana Laura non aveva che un argomento. Si era fissata.»

«Che argomento?»

«La sua tesi di laurea sul Beato Angelico. La criticava, sosteneva che la sua ipotesi sul *Noli me tangere* andava suffragata da altre prove. E che la cosa era per lei molto importante. Io la prendevo in giro, le ricordavo che il problema non le era parso così importante quando aveva letteralmente perso la testa per il suo cadetto e aveva mandato all'aria ogni cosa, brillante carriera accademica compresa.»

«E la signora come reagiva?»

«Si arrabbiava, ma proprio tanto, diceva che non capivo niente. E cambiava discorso.»

27 giugno 2010

«Dottor Maurizi? Sono l'avvocato Doria.»

«Buongiorno, avvocato. Mi dica.»

«Stamattina ho ricevuto una telefonata. Una voce d'uomo. Parlava italiano, ma mi è parso avesse l'accento portoghese. Mi ha dato la parola d'ordine: Beato Angelico.»

«Che cosa le ha detto?»

«Mi ha detto di versare la somma, attraverso bonifico bancario, su un conto presso la Banca Nazionale del Brasile, filiale numero uno di Brasilia, e mi ha dato il numero.»

«A chi è intestato?»

«A Wilson Peixoto. Ma mi ha detto una cosa curiosa da scrivere nella causale.»

«Quale?»

«"Dote di Laura Garaudo." Ma che fa? Si sposa con questo Wilson? Lei è capacissima di uno di questi colpi di testa.»

«Non penso si tratti di dote matrimoniale.»

«Allora cosa?»

«Boh...»

«Come devo comportarmi?»

«In che senso?»

«Devo procedere come mi è stato detto?»

«E che altro vuole fare? Se la volontà della signora è questa...»

29 giugno 2010

IL MESSAGGERO

CLAMOROSI SVILUPPI DEL CASO GARAUDO. NOSTRA INTERVISTA ESCLUSIVA ALLO SCRITTORE MATTIA TODINI

Roma.- A seguito d'incontrollabili voci su una clamorosa svolta nel caso della sparizione di Laura Garaudo, siamo andati a trovare il noto scrittore Mattia Todini, suo marito, che ha con estrema cortesia risposto a tutte le nostre domande. Poiché lo scrittore ci è parso notevolmente provato dalla vicenda, siamo entrati subito in argomento.

Maestro, conferma la voce secondo cui sua moglie starebbe per vendere un appartamento e il ricavato...
Scusi, la devo fermare. Dal giorno dopo la sua andata via da casa io non ho più parlato con mia moglie.

Dunque non si è più fatta viva con lei?
Diciamo che mi ha fatto pervenire notizie indirette. Ma torniamo al punto. Io sono stato informato della vendita dell'appartamento di

Laura dall'avvocato Doria, che cura gli interessi di mia moglie. Lo stesso Doria mi ha anche detto che, per espressa volontà di Laura, il ricavato è stato trasferito presso una banca brasiliana sul conto intestato a tale Wilson Peixoto.

Lei lo conosce?
Ho avuto modo d'incontrarlo brevemente all'Ambasciata del Brasile a Roma l'anno scorso.

A quanto ammonta il ricavato della vendita?
A quattrocentoventimila euro.

Si dice che nella causale del bonifico la signora abbia voluto fosse scritto "dote". Significa che la signora vuole sposarsi con questo Peixoto?
Prima di potersi sposare con un altro dovrebbe divorziare da me. E non mi risulta che Laura abbia fatto passi in tal senso. La verità è che voi giornalisti state costruendo un castello di supposizioni ridicole su di un banale errore dell'interlocutore brasiliano dell'avvocato Doria. È chiaro che dicendo "dote" intendeva dire "donazione".

Ma perché la signora avrebbe fatto una donazione così ricca a uno che le è praticamente sconosciuto?

Le cose non stanno esattamente così. Ho saputo che mia moglie ha avuto incontri con lui. A questo proposito l'avvocato Doria mi ha espresso un suo timore che io condivido.

E cioè?
Che Wilson Peixoto possa essere una sorta di guru, di santone, come tanti ne circolano oggi, a capo di qualche setta più o meno segreta il cui scopo principale è quello di spogliare i propri adepti di ogni loro avere. È probabile che Laura ne sia stata plagiata.

Secondo lei la signora si è già trasferita in Brasile?
Nulla lascia supporre che abbia lasciato l'Italia.

Ha intenzione d'intervenire in qualche modo?
Se, a quanto pare, Laura non si è allontanata di sua volontà, ma perché assoggettata a una volontà estranea, ritengo più che doveroso il mio intervento.

Come?
Considerati gli scarsi risultati ottenuti dalla Polizia italiana, cercherò di mobilitare l'opinione pubblica mondiale attraverso articoli, conferenze stampa, interviste e tutto quanto possa servire.

29 giugno 2010

«Maurizi, ha letto l'intervista di quel grandissimo stronzo di Todini?»

«Sì, signor Questore.»

«Ha visto la minaccia finale indirizzata a noi?»

«Sì, signor Questore.»

«Sa che significa?»

«Credo di saperlo.»

«Significa che ha l'intenzione di sputtanarci davanti all'opinione pubblica internazionale. Lui si metterà a sbraitare o a lamentarsi, e noi saremo attaccati da una quantità di giornali stranieri che ci definiranno impotenti e inetti. Quelli ne vogliono un dito in una tinozza. E a me 'sta prospettiva fa girare i coglioni.»

«Neanche a me diverte.»

«È riuscito almeno a sapere qualcosa sul brasiliano che ha un nome che pare un pilota di Formula Uno?»

«Sono riuscito a ottenere un colloquio confidenziale con un addetto dell'Ambasciata. È stato breve ed evasivo. Sembrava a disagio.»

«Perché?»

«Ho avuto la netta sensazione che questo Peixoto non sia persona, come dire, molto gradita al governo. E quindi cercano di non parlarne, e se lo devono fare ne parlano malvolentieri.»

«Come mai allora Todini e sua moglie lo conobbero proprio all'Ambasciata?»

«Forse non hanno potuto fare a meno d'invitarlo.»

«Ma se è un rivoluzionario!»

«Non lo è, tutt'altro. Wilson Peixoto appartiene a una delle quindici famiglie più ricche del Brasile. Lui personalmente è uno dei più grossi industriali e un petroliere ultramiliardario. Tra l'altro è sposato e padre di due figli.»

«Allora è per ragioni politiche che...»

«Non precisamente. Pare che da anni faccia una dura opposizione a tutte le iniziative governative che permettono alle multinazionali lo sfruttamento indiscriminato delle foreste amazzoniche.»

«E a lui, che c'ha l'industria e il petrolio, che gliene frega delle foreste amazzoniche?»

«A lui gli frega di quelli che vivono dentro quelle foreste.»

«Ah, ho capito! Mi sta dicendo che protegge le tribù dei selvaggi? Miliardario ma umanitario?»

«Esattamente.»

«E perché, a un miliardario come Peixoto, la Garaudo avrebbe fatto una donazione?»

«Non so proprio.»

«Senta, Maurizi. Ho preso una decisione.»

«Mi dica.»

«Bisogna tagliare la testa al toro. Deve assolutamente scovare la Garaudo e parlarle.»

«Che dovrei dirle?»

«Che ci rilasci una bella dichiarazione con tanto di firma su quello che ha fatto e quello che intende fare, noi la rendiamo pubblica e tappiamo la bocca a Todini.»

«Allora faccio diramare...»

«Lei non farà diramare niente. Nessuna pubblicità. Continui a muoversi con discrezione, ma più velocemente che può. Ci mancherebbe altro che anche la Garaudo si mettesse a strillare contro di noi.»

30 giugno 2010

«Maurizi? Sono Tolentino della Questura di Milano.»

«Dimmi.»

«Ti volevo segnalare che la signora Garaudo fino alla mattina del 26 era a Milano.»

«Sai quand'è arrivata?»

«È scesa all'Albergo Mediolanum la mattina del 25.»

«Era sola?»

«Sì.»

«Aveva una macchina?»

«No.»

«Puoi dirmi altro?»

«Sì. Ha domandato al portiere quant'era distante il Castello Sforzesco. Visto che c'era parecchia strada da fare, si è fatta venire un taxi.»

«E poi?»

«È rientrata nel pomeriggio. Ha cenato in albergo e l'indomani mattina si è fatta accompagnare alla stazione. Questo è tutto.»

«Ti ringrazio.»

«Pronto, Maurizi? Sono Pirro da Firenze.»
«Ciao. Dimmi.»
«La vuoi sapere la novità? La signora Garaudo ha passato la notte tra il 26 e il 27 qua a Firenze.»
«Dove ha dormito?»
«In un alberguccio di terza categoria. Forse perché pensava che difficilmente il suo nome sarebbe stato conosciuto in un posto siffatto. Furba, non c'è che dire.»
«Era sola?»
«Solissima. Ma perché è tornata?»
«Probabilmente quello che doveva fare a Firenze l'ha programmato in due momenti diversi. Un lungo soggiorno avrebbe potuto rappresentare un pericolo per lei. Fa soggiorni brevissimi, è un suo sistema di difesa.»

1 luglio 2010

«Mattia? Sei tu?»

«Sì. Chi parla?»

«Mattia, sono Ignacio, Ignacio Torres.»

«Ciao, Ignacio! Come stai?»

«Io bene, grazie.»

«Sei in Italia?»

«No, ti sto chiamando da Madrid. Come va, vecchio mio?»

«Come vuoi che vada? Avrai saputo che mia moglie Laura...»

«So tutto, so tutto. Ed è per questo che ti ho voluto chiamare. Ho una gran bella notizia per te.»

«Riguarda Laura?»

«Sì. È viva e sta bene.»

«Come lo sai?»

«Lo so perché l'ho vista.»

«E dove?»

«Qua, a Madrid, alla stazione. Questa mattina alle dieci.»

«Ma ne sei sicuro?»

«Sicurissimo.»

«Ma come fai a...»

«Perché l'ho chiamata per nome e lei si è voltata.»
«Le hai parlato?»
«Non ho potuto.»
«Perché?»
«Ora ti spiego. Ero in partenza per Toledo e mentre salutavo dal finestrino l'amico che mi aveva accompagnato ho visto sulla banchina Laura. L'ho chiamata e si è voltata.»
«Ti ha riconosciuto?»
«Ma certo! Mi ha sorriso!»
«Ma non potevi...?»
«Ma come facevo? In quel momento il treno ha cominciato a muoversi.»

1 luglio 2010

«Professor Soncini? Sono il commissario Luca Maurizi della Questura di Roma. Si ricorda di me?»

«Come no? Buonasera, mi dica.»

«Mi scusi se mi permetto di disturbarla a quest'ora ma ho ancora bisogno del suo prezioso aiuto.»

«Si tratta sempre di Laura?»

«Sì.»

«In che modo posso esserle utile?»

«Vorrei tentare di capire, facendo ricorso alla sua cultura e alla conoscenza che aveva della Garaudo, se c'è un senso, un percorso logico, nel suo peregrinare per l'Italia. Io credo di sì, ma non riesco a comprendere quale possa essere.»

«Può spiegarsi meglio?»

«Cercherò, anche se non è facile. Ho la netta sensazione che il suo non sia uno spostarsi casuale, ma che Laura stia seguendo un tracciato preciso. Con tappe obbligate. Come se facesse un viaggio iniziatico o un rito purificatorio o un vero e proprio pellegrinaggio.»

«Scusi, ma perché si rivolge a me?»

«Perché ho pensato che sia qualcosa che ha a che fare con i suoi studi universitari, non so, con la sua giovinezza... Nei giorni precedenti la scomparsa non faceva altro che parlare della sua tesi e del *Noli me tangere*.»

«Lei sa in quali città è stata?»

«Sicuramente si è recata a Firenze, a Pisa, a Milano, dove è andata al Castello Sforzesco, poi a Padova, a Venezia ma per recarsi a Murano e infine a Madrid.»

«Per favore, mi ridica tutte le città così me le scrivo. Mi lasci un po' di tempo per pensarci. Possiamo risentirci domattina?»

«Professore, sono mortificato e so d'abusare della sua pazienza. Ma domattina potrebbe essere troppo tardi.»

«Troppo tardi? Oddio, perché?»

«Non si allarmi. Dicevo che potrebbe essere troppo tardi per poterla ancora raggiungere.»

«Allora la richiamo tra un due orette. Mi dica queste città. Qualcosa di legato ai suoi studi, ha detto?»

«Sì.»

«Dottor Maurizi? Sono Soncini.»

«L'ascolto.»

«Forse lei ha ragione. C'è un legame possibile tra le città visitate dalla Garaudo. Ma non vorrei...»

«Non vorrebbe cosa?»

«Metterla su una falsa pista.»

«Per amor del cielo, non se ne faccia uno scrupolo! Parli liberamente! Quale sarebbe il legame?»

«Noli me tangere.»

«Che significa?»

«Questo tema, il "Noli me tangere", ha affascinato numerosi artisti nel corso del tempo.»

«Davvero? Non sapevo.»

«Per restare tra i maggiori, le faccio i nomi di Giotto, Tiziano, Correggio, Tintoretto, Hans Holbein il Giovane, Rembrandt, Poussin... per non parlare della caterva dei minori.»

«E per quanto riguarda gli spostamenti della Garaudo?»

«A Firenze, oltre a quello del Beato Angelico, ci sono da vedere i *Noli me tangere* in terracotta dei figli del della Robbia e quello di Mariotto di Nardo; a Pisa c'è un affresco di Ghetto di Jacopo; a Milano, proprio al Castello Sforzesco, è conservato quello del Bramantino; a Padova c'è un meraviglioso Giotto nella Cappella degli Scrovegni; a Murano ce n'è un altro del Salviati e infine al Prado c'è il Correggio.»

«Quindi, come supponevo, si tratta di un viaggio che ha qualcosa di rituale, di purificatorio...»

«In che senso?»

«È una cerimonia d'addio.»

«A cosa?»

«Al proprio corpo vissuto come l'ha vissuto lei.»

«Non ho capito.»

«Mi scusi, professore, ma sarebbe lungo spiegarle. Ho un'ultima domanda da farle, ma è importantissima.»

«La faccia.»

«Ci rifletta un momento, prima di rispondermi. Secondo lei, quale potrebbe essere l'ultima tappa di questo viaggio?»

«Non potrebbe che essere Londra.»

«Perché?»

«Perché alla National Gallery c'è il *Noli me tangere* di Tiziano. Che è quello che più di tutti si avvicina all'intuizione che Laura ebbe davanti all'affresco omonimo del Beato Angelico.»

«Cioè?»

«Lì la mano destra di Maria Maddalena è decisamente direzionata sopra il drappo che riveste la coscia di Gesù. Si ha la precisa sensazione che si siano appena toccati. E che non si toccheranno mai più.»

4 luglio 2010

«Ma che modo di procedere è il suo? Me lo spiega?»

«Signor Questore...»

«Va e torna da Londra così, alé, senza degnarsi d'avvertirmi...»

«Signor Questore...»

«Lei va e viene da Londra senza degnarsi di farmi avere una parola di spiegazione!»

«Signor Questore...»

«Signor Questore un cazzo! Mi lasci finire!»

«Mi scusi.»

«E poi si presenta come se niente fosse per dirmi che si è sbagliato, che non è riuscito a incontrarsi con la Garaudo!»

«È stato un errore di valutazione.»

«E pensa di cavarsela così?»

«Signor Questore, io sono pronto a non addebitare all'amministrazione il mio viaggio a vuoto...»

«Ma mi faccia il piacere! Addebitare! Mi dica piuttosto perché proprio a lei che è il più colto, il più brillante dei miei funzionari è venuta la formidabile idea che la Garaudo fosse andata a Londra e non a Pechino o a Timbuctù!»

«Ripeto che è stato un mio errore e sono pronto ad assumermene tutta la responsabilità. Seguendo un ragionamento avvalorato anche dal professor Soncini...»

«E chi è?»

«Un professore di Storia dell'arte all'Università di Bologna.»

«E che c'entra?»

«La Garaudo, tredici anni fa, si laureò con lui con una tesi sul Beato Angelico e...»

«Gesù! Cose 'e pazzi! Questo mi sforna 'na storia di tredici anni fa! Il Beato Angelico! Non voglio sentire altro. Basta così. La conclusione è una sola. Che lei non è riuscito a rintracciare la Garaudo e che quel rincoglionito di Todini terrà una conferenza stampa che ci darà una bella fama internazionale! La moglie plagiata da un brasiliano che si è fatto dare dei soldi anche se è arcimilionario, tanto un po' di soldini non guastano mai...»

«Signor Questore, forse sarebbe meglio avvertire Todini di non sostenere questa tesi.»

«Perché?»

«Perché a Londra, da un collega dell'Interpol, ho appreso che Peixoto ha creato una grossa organizzazione laica di volontari composta da medici, infermieri, maestri, che si sono dedicati anima e corpo ad aiutare i superstiti delle tribù amazzoniche. Ogni volontario porta anche una sua dote, quello che può, all'organizzazione. È un gesto che significa la spoliazione da ogni bene terreno. Naturalmente il grosso delle spese è sostenuto da Peixoto.»

«Ne è sicuro?»

«Sicurissimo.»

«Sa che faccio?»
«No.»
«Non l'avverto.»
«Perché?»
«Perché così Peixoto gli fa una bella causa per diffamazione e Todini impara a fare lo stronzo.»

3 luglio 2010

«Stupendo questo Tiziano.»
«Già.»
«Sembra che Maria Maddalena abbia appena finito di toccare Gesù.»
«...»
«Signora, non mi guardi così, io non ho intenzione di...»
«Come ha fatto a capire che sono italiana?»
«Semplice. Ha in mano la versione italiana della guida.»
«Che stupida!»
«Senta...»
«Mi scusi, ma non ho voglia di parlare con nessuno.»
«Ma io...»
«Mi lasci in pace, per favore.»
«La lascerò in pace, glielo prometto, ma prima...»
«Non vede che disturba gli altri visitatori?»
«Signora Garaudo, sono il commissario Luca Maurizi.»
«Ah.»
«Sa che sono stato incaricato di...»
«Lo so.»
«Allontaniamoci un poco. Devo parlarle.»

«Che vuole da me?»
«Solamente parlarle.»
«Guardi che lei non può...»
«Lo so benissimo, qui non ho nessuna autorità. E lei, se lo vuole, può anche chiamare un custode e farmi allontanare. Io sono qui a pregarla di concedermi un poco del suo tempo per...»
«Mi avete fatto seguire?»
«No, mai.»
«Non mi racconti storie.»
«Le assicuro che...»
«E allora come ha fatto a sapere che sarei venuta qui?»
«Mi ha aiutato il professor Soncini.»
«Soncini?!»
«Sì, perché io mi ero convinto che i suoi spostamenti non fossero casuali, seguivano una logica.»
«Ha avuto un buon intuito.»
«Non si è trattato solo di intuito.»
«E di cos'altro?»
«Di avere capito, in parte, com'è lei.»
«Che sa di me?»
«Parecchio. Ho parlato con suo marito, con la sua cameriera, con l'avvocato Doria, con la sua amica Giulia, ho letto la sua corrispondenza privata... gliene chiedo scusa, ma ho dovuto farlo.»
«Dunque crede di sapere tutto di me?»
«Se sapessi tutto, non sarei qui. E che io sia qui con lei non lo sa nessuno. Non ho avvertito nemmeno i miei superiori che sarei partito. Vorrei che lei mi concedesse, come dire, un colloquio privato. Destinato a restare tale.»

«Per sapere cosa?»

«Per avere una conferma.»

«Di che?»

«Di quello che lei ha intenzione di fare di se stessa. E che io ho immaginato.»

«Non le sembra di essere un po' presuntuoso?»

«Forse lo sono. Ma ho letto una sua lettera incompiuta a Wilson Peixoto.»

«Chi gliel'ha data?»

«L'avvocato Doria. Lei se l'era scordata tra le pagine di un libro.»

«Senta, posso concederle qualche ora. Poi devo tornare in albergo, rifare la valigia e correre...»

«... all'aeroporto, lo so. Questa era l'ultima tappa, vero?»

«Sì.»

«Vogliamo uscire?»

«Va bene.»

3 luglio 2010

Da *Cocktail Party* di T.S. Eliot.

CELIA: [...] Non che io abbia paura di essere ancora ferita:
niente può ormai ferirmi o sanarmi.
Ho pensato a volte che l'estasi sia reale
anche se non ha realtà chi la prova.
Perché ciò che è accaduto perdura come un sogno
in cui si è esaltati dall'intensità dell'amore
nello spirito, vibrazione di gioia
senza desiderio, perché il desiderio è colmato
nella gioia d'amare. Uno stato ignoto al risveglio.
Ma che cosa, o chi, ho amato,
o che cosa in me stava amando, io non lo so.
E se tutto questo è senza senso io voglio guarire
dalla fame di qualcosa che non posso trovare,
e dalla vergogna di non trovarlo.
Lei può guarirmi?
REILLY: È una situazione curabile.
Ma il tipo di terapia deve sceglierlo lei:

non posso decidere io al suo posto.
Se è quello che lei vuole,
io posso riconciliarla con la condizione umana.

5 luglio 2010

«L'ha vista e le ha parlato?»

«Sì. Lei, Giulia, è l'unica a saperlo. Ed è stata Laura a raccomandarmi di dirle del nostro incontro. Mi ha assicurato che lei sa mantenere un segreto.»

«Come stava?»

«Bene. Era molto calma e sicura di sé, della decisione irrevocabile che aveva preso.»

«Cioè?»

«Dare un senso alla sua vita. Lei ha avuto ragione nell'intuire che la sua crisi è cominciata quando ha riletto il romanzo che aveva appena terminato di scrivere. Mi ha detto che le è sembrato un'insopportabile testimonianza dal nulla, dal non esistere credendo d'esistere.»

«E Wilson è apparso nel momento più opportuno?»

«Sì. E le ha indicato l'unica cura possibile.»

«Cioè?»

«Vivere non per sé, ma per gli altri. Darsi totalmente agli altri, dimenticando il proprio corpo, le sue esigenze. Per questo, prima di partire, ha sentito la necessità di compiere un viaggio rituale, rivedendo le massime espressioni artistiche dell'addio ai sensi. Nell'organizzazione di Wilson per gli aiuti alle tribù amazzoniche ci sono dei presidii stabili, formati da pochi volontari, che restano per almeno cinque anni a contatto quotidiano con gli indigeni. Laura ha scelto di essere una di loro, dopo aver seguito un corso d'infermiera.»

«Non mi sarei mai aspettata...»

«Eppure è così. Non credo che rivedrà mai più la sua amica Laura. E se mai la rivedrà non penso che sarà in grado di riconoscerla.»

«Ma lei è riuscito a capire se era almeno felice?»

«Felice? Non saprei, forse non è la parola giusta. Era... in armonia, ecco. In armonia con se stessa. E col mondo.»

Nota

Spero che, arrivato alla fine, il lettore si sarà accorto che questo breve romanzo non intende essere un racconto poliziesco sulla scomparsa di una giovane donna, ma il tentativo di disegnare, con mezzi semplici, un ritratto femminile complesso, sì, ma non così inconsueto come a prima vista può apparire.

La traduzione dei passi da *Cocktail Party* qui riportata è quella di Roberto Mussapi in *Tutto il teatro* di T.S. Eliot (Bompiani, Milano 2003, a cura di Roberto Sanesi).

Il romanzo è dedicato a una mia amica brasiliana che fu attrice, poi cantante e infine suora, morendo uccisa dagli indigeni dell'Amazzonia tra i quali svolgeva la sua missione.

a.c.

Indice

Mondadori Libri S.p.A.

Questo volume è stato stampato
presso ELCOGRAF S.p.A.
Stabilimento - Cles (TN)

Stampato in Italia - Printed in Italy